ein Ullstein Buch

ein Ullstein Buch
Nr. 2903
im Verlag Ullstein GmbH,
Frankfurt/M – Berlin – Wien

Ungekürzte Ausgabe

Umschlagentwurf:
Hansbernd Lindemann
Alle Rechte vorbehalten
Mit Genehmigung des
Ernst Klett Verlages, Stuttgart
© 1950 by Vittorio Klostermann,
Frankfurt/Main
Printed in Germany 1982
Druck und Verarbeitung:
Ebner Ulm
ISBN 3 548 02903 5

September 1982
23.–26. Tsd.

Vom selben Autor
in der Reihe der
Ullstein Bücher:

Auf den Marmorklippen (2947)
Annäherungen – Drogen
und Rausch (39003)
Die Zwille (39022)

Ernst Jünger

# Das abenteuerliche Herz

ein Ullstein Buch

Zweite Fassung

# Inhalt

Lilium tigrinum. Sehr stark zurückgebogene Blüten-
blätter von einem geschminkten, wächsernen Rot, das
zart, aber von hoher Leuchtkraft und mit zahlreichen
ovalen, schwarzblauen Makeln gesprenkelt ist. Diese Makeln sind in einer Weise verteilt, die darauf schließen
läßt, daß die lebendige Kraft, die sie erzeugt, allmählich
schwächer wird. So fehlen sie an der Spitze ganz, während sie in der Nähe des Kelchgrundes so kräftig hervorgetrieben sind, daß sie wie auf Stelzen auf hohen, flei-
schigen Auswüchsen stehen. Staubgefäße von der narkotischen Farbe eines dunkelrotbraunen Sammets, der zu
Puder zermahlen ist.

Im Anblick erwächst die Vorstellung eines indischen
Gaukler-Zeltes, in dessen Inneren eine leise, vorberei-
tende Musik erklingt.


*Fliegende Fische*                                          *Steglitz*

Vergeblich, doch nicht ohne Vergnügen suchte ich
kleine, sehr bewegliche perlmutterblaue Fische zu erha-
schen, indem ich mit den Händen in ein Becken griff.
Wenn sie mir gar nicht mehr entschlüpfen konnten, ho-
ben sie sich über den Wasserspiegel empor und schwirrten, indem sie ihre winzigen Flossen wie Flügel bewegten,
zierlich im Zimmer umher. Nachdem sie in der Luft man-
nigfaltige Bogen beschrieben hatten, tauchten sie wieder
in das Wasser ein. Dieser Wechsel der Mittel hatte etwas
ungemein Erheiterndes.


*Flugträume*                                                *Stralau*

Die Flugträume gleichen Erinnerungen an den Besitz
einer besonderen, geistigen Kraft. Es sind eigentlich mehr

Schwebeträume, bei denen ein Gefühl der Schwere immer erhalten bleibt. Man gleitet im Zwielicht dicht über den Boden dahin, und der Traum reißt ab, wenn man ihn berührt. Man schwebt über die Treppenstufen aus dem Haus und hebt sich zuweilen über niedrige Hindernisse, wie über Zäune und Hecken, hinweg. Hierbei drückt man sich durch eine Anstrengung hoch, die in den angewinkelten Ellenbogen und in der geballten Faust empfunden wird. Der Körper ist halb ausgestreckt, als ob man bequem im Sessel läge; man schwebt mit den Beinen voran. Diese Träume sind angenehm; es gibt aber auch andere, bösartige, bei denen der Träumer in steifer Haltung, vornübergeneigt, mit dem Gesicht zur Erde über den Boden fliegt. Er erhebt sich in einer Art von Starrkrampf vom Lager, indem der Körper über die Fußspitzen einen Zirkel schlägt. So gleitet er über nächtliche Straßen und Plätze dahin und taucht zuweilen wie ein Fisch vor einsamen Passanten auf, indem er ihnen in die entsetzten Gesichter starrt.

Wie mühelos erscheint demgegenüber der hohe Flug, den man auf alten Schwebebildern sieht. Hier ist es ein heiterer und wunderbarer Wirbel, der die Gestalten trägt, obwohl er ihre Haare und Gewänder kaum zu kräuseln scheint.

## Die Kiesgrube                                    *Goslar*

Die eigenen Bücher nimmt man deshalb so ungern zur Hand, weil man sich ihnen gegenüber als Falschmünzer erscheint. Man ist in der Höhle des Ali Baba gewesen und hat nur eine lumpige Handvoll Silber zutage gebracht. Auch hat man das Gefühl, zu Zuständen zurückzukehren, die man abstreifte wie eine vergilbte Schlangenhaut.

So ergeht es mir auch mit diesen Aufzeichnungen, die ich nach fast zehn Jahren zum ersten Male wieder aufschlage. Wie ich höre, finden sie seit langem mit erstaunlicher Regelmäßigkeit ihre fünfzehn Leser im Vierteljahr. Ein solcher Zuspruch erinnert an gewisse Blumen wie an Silene noctiflora, deren während einer einzigen Nachtstunde geöffnete Kelche eine winzige Gesellschaft beflügelter Gäste umkreist.

Dennoch ist für den Autor gerade die Wiederaufnahme des bereits Abgeschlossenen von besonderem Wert — als seltene Gelegenheit, die Sprache im Stück, gewissermaßen mit dem Auge des Bildhauers zu erfassen und an ihr als an einem Körper zu arbeiten. Auf diese Weise hoffe ich noch ein wenig schärfer zu treffen, was den Leser vielleicht fesselte. Zunächst soll an Abstrichen nicht gespart, und sodann das so Gewonnene aus dem Vorrat ergänzt werden. Auch sind einige verbotene Stücke nachzutragen, die ich damals zurücklegte — denn was die Gewürze betrifft, so gewinnt man erst im Laufe der Zeit die sichere Hand.

Als Form dieses Mannigfaltigen schwebt mir eine jener Vertiefungen vor, wie man sie auf Alpengängen zuweilen in ausgetrockneten Bachbetten erblickt. Wir finden da grobe Stücke, geschliffene Kiesel, blinkende Splitter und Sand — ein buntes Geröll, wie es der Strudel im Frühling und Herbst aus den oberen Schichten zu Tale trug. Hin und wieder greifen wir ein Fundstück mit der Hand und wenden es vor den Augen hin und her — vielleicht einen Bergkristall, vielleicht ein zerbrochenes Schneckenhaus, an dem uns der Bau der inneren Spindel überrascht, oder einen mondblassen Tropfsteinzacken aus den unbekannten Höhlen, in denen die Fledermaus ihre lautlosen Kreise beschreibt. Hier ist die Heimat der Capriccios, nächtlicher Scherze, die der Geist ohne Regung wie in einer einsamen Loge, und nicht ohne Gefährdung genießt. Doch gibt es auch runde Granite, die in den Gletschermühlen geschliffen sind, an Punkten weiter Aussicht, an denen die Welt ein wenig kleiner, aber auch klarer und regelmäßiger, wie auf gestochenen Landkarten erscheint, denn die hohe Ordnung ist im Mannigfaltigen wie in einem Vexierbild versteckt. Das sind erstaunliche Rätsel — mit wachsender Entfernung nähern wir uns der Auflösung.

An Stoff ist also kein Mangel, doch soll ihm die Sprache noch etwas hinzufügen. Sie hat das Wasser wieder herbeizuzaubern, das mit und über diesen Gebilden spielt — ein Wasser, das zugleich bewegt und *durchsichtig* ist.


### Zur Kristallographie *Überlingen*

Es scheint mir, daß ich während der letzten Jahre gerade in bezug auf jenen Kunstgriff der Sprache, der das Wort erhellt und durchsichtig macht, manches gelernt habe. Ihn vor allem halte ich für geeignet, einen Zwiespalt zu lösen, der uns oft heftig ergreift — den Zwiespalt, der zwischen der Oberfläche und der Tiefe des Lebens besteht. Oft scheint uns der Sinn der Tiefe darin zu liegen, die Oberfläche zu erzeugen, die regenbogenfarbige Haut der Welt, deren Anblick uns brennend bewegt. Dann wiederum scheint dieses bunte Muster uns nur aus Zeichen und Buchstaben gefügt, durch welche die Tiefe zu uns von ihren Geheimnissen spricht. So packt uns, ob wir draußen oder drinnen leben, der Schmerz dessen an, der, wohin er sich wende, sich von herrlichen Gütern abwendet. Unruhe befällt uns während der strengen Genüsse der Einsamkeit wie an den festlich gedeckten Tafeln der Welt.

Die durchsichtige Bildung nun ist die, an der unserem Blick Tiefe und Oberfläche zugleich einleuchten. Sie ist am Kristall zu beobachten, den man als ein Wesen bezeichnen könnte, das sowohl innere Oberfläche zu bilden, als seine Tiefe nach außen zu kehren vermag. Ich möchte

10

nun den Verdacht aussprechen, ob nicht die Welt im großen und kleinen überhaupt nach dem Muster der Kristalle gebildet sei — doch so, daß unser Augen sie nur selten in dieser Eigenschaft durchdringt? Es gibt geheime Zeichen, die darauf hinweisen — wohl jeder hat einmal gespürt, wie in bedeutenden Augenblicken Menschen und Dinge sich aufhellten, und das vielleicht in einem Maße, daß ihn ein Gefühl des Schwindels, ja des Schauderns ergriff. Das ist in der Gegenwart des Todes der Fall, aber auch jede andere bedeutende Macht, wie etwa die Schönheit, bringt solche Wirkung hervor — im besonderen schreibt man sie der Wahrheit zu. So ist, um ein beliebiges Beispiel zu nennen, die Erfassung der Urpflanze nichts anderes als die Wahrnehmung des eigentlich kristallischen Charakters im günstigen Augenblick. Ebenso werden in einem Gespräch über Dinge, die uns im Innersten berühren, die Stimmen durchsichtig; wir begreifen unseren Partner durch die Übereinkunft der Worte hindurch in einem anderen, entscheidenden Sinn. Darüber hinaus dürfen wir Punkte vermuten, an denen diese Art der Einsicht nicht durch Zustände der ungewöhnlichen Erhebung vermittelt wird, sondern zum angemessenen Bestand eines herrlichen Lebens gehört.

Was nun die Verwendung des Wortes in diesem Sinne betrifft, so kommt ihr zustatten, daß auch die Sprache Tiefe und Oberfläche besitzt. Wir verfügen über zahllose Wendungen, denen sowohl eine handgreifliche als auch eine sehr verborgene Bedeutung innewohnt, und was in der Welt des Auges die Durchsichtigkeit, das ist hier die geheime Konsonanz. Auch in den Figuren, vor allem im Vergleich, liegt viel, was den Trug der Gegensätze überbrückt. Doch muß das Verfahren beweglich sein — wenn man hier ein geschliffenes Glas verwendet, um die Schönheit der niederen Tiere zu erspähen, so darf man sich dort nicht scheuen, einen Wurm auf den Haken zu ziehen, wenn man dem wunderbaren Leben nachzustellen gedenkt, das die dunkleren Gewässer bewohnt. Aber immer ist vom Autor zu verlangen, daß ihm die Dinge nicht vereinzelt erscheinen, nicht treibend und zufällig — ihm ist das Wort verliehen, damit es an das Ein und Alles gerichtet wird.

### Violette Endivien                              *Steglitz*

Ich trat in ein üppiges Schlemmergeschäft ein, weil eine im Schaufenster ausgestellte, ganz besondere violette Art von Endivien mir aufgefallen war. Es überraschte mich nicht, daß der Verkäufer mir erklärte, die einzige Sorte Fleisch, für die dieses Gericht als Zukost in Frage käme, sei Menschenfleisch — ich hatte das vielmehr schon dunkel vorausgeahnt.

Es entspann sich eine lange Unterhaltung über die Art der Zubereitung, dann stiegen wir in die Kühlräume hinab, in denen ich die Menschen, wie Hasen vor dem Laden eines Wildbrethändlers, an den Wänden hängen sah. Der Verkäufer hob besonders hervor, daß ich hier durchweg auf der Jagd erbeutete, und nicht etwa in den Zuchtanstalten reihenweise gemästete Stücke betrachtete: »magerer, aber — ich sage das nicht, um Reklame zu machen — weit aromatischer«. Die Hände, Füße und Köpfe waren in besonderen Schüsseln ausgestellt und mit kleinen Preistäfelchen besteckt.

Als wir die Treppe wieder hinaufstiegen, machte ich die Bemerkung: »Ich wußte nicht, daß die Zivilisation in dieser Stadt schon so weit fortgeschritten ist« — worauf der Verkäufer einen Augenblick zu stutzen schien, um dann mit einem sehr verbindlichen Lächeln zu quittieren.

Die ganze Nacht hatte ich mich im Vergnügungsviertel einer Großstadt bewegt, ohne zu wissen, in welchem Lande der Welt ich mich befand. Manche Einzelheiten erinnerten an marokkanische Bazare, andere an Rummelplätze, wie man sie in den Berliner Vorstädten sieht. Gegen Morgen geriet ich in einen Winkel, der mir, obwohl starkes Leben in ihm herrschte, noch nicht aufgefallen war. In seinen Gassen waren Tanzzelte aufgeschlagen; vor jedem waren zehn, zwanzig oder noch mehr Tänzerinnen zur Schau gestellt. Ich sah, wie manche der Vorübergehenden sich eine von ihnen auswählten und sie zum Tanz in ihr Zelt führten. Auch ich schloß mich ihnen an, obwohl mir die Mädchen nicht zusagten, denn sie waren nachlässig gekleidet und hatten alle das gleiche, ausdruckslose Gesicht. Sowie man sie indessen berührte, wurden sie lebhafter und tauten auf. Auch im Zelt gefiel es mir nicht; die Musik war zu laut, und die Farben waren achtlos verteilt. Das ganze kam mir wie ein Rätsel vor, und als mein Auge den Teppich streifte, auf dem wir tanzten, erriet ich die Auflösung. Dieser Teppich war mit runden Ornamenten gesäumt, die indessen nicht eingewebt waren, sondern etwa wie schmale Korkscheiben über den geschorenen Stoff hervorragten. Ich begriff sogleich, daß dies eine unauffällige Maßnahme war, um zu verhindern, daß die Mädchen über die Fläche des Teppichs hinaustanzten. Alle diese Tänzerinnen waren blind.

Als ich das Zelt verließ, spürte ich, daß ich hungrig war. Gleich gegenüber lag eine Frühstücks-Stube; in ihr empfing mich ein Weißbierwirt mit aufgekrempelten Hemdärmeln. Ich bestellte ein Frühstück bei ihm, und während er den Kaffee brühte und Brote belegte, ordnete er einen jungen Mann zu meiner Unterhaltung ab. Jetzt erst erkannte ich, daß ich in das Blindenviertel geraten war, denn auch dieser Unterhalter war des Lichtes beraubt. Der Wirt hielt ihn als eine Art von philosophischem Lockvogel, um Gäste an seine Tische zu ziehen. Man durfte ihm ein Thema stellen, zu dem er dann infolge seiner Blindheit in einer unerwarteten und absonderlichen Weise Stellung nahm. Da ihm jedoch die Anschauung fehlte, verliehen seine Ausführungen den Gästen zugleich ein angenehmes Gefühl der Überlegenheit, das sie noch zu steigern versuchten, indem sie ihn über die Farbenlehre und ähnliche Gebiete zu sprechen nötigten.

Nun entsann ich mich auch, daß ich von dieser Stube bereits als von dem Lieblingslokal der Berliner Metaphysiker gehört hatte. Das Schicksal des jungen Mannes in diesem Ausschank dauerte mich um so mehr, als ich bald erkannte, daß er wirklich tiefer und kühner Gedanken fähig war, und daß ihm nichts fehlte als ein wenig Empirie. Um ihn zu erheitern, dachte ich über ein Thema nach, das so beschaffen sein sollte, daß sowohl er mir als Blinder wie ich ihm als Sehender überlegen war — denn ich wollte ihn weder durch eine Niederlage, noch durch einen billigen Sieg demütigen. Und so führten wir während des Frühstücks ein herrliches Gespräch »*Über das Unvorhergesehene*«.


*Das Entsetzen*                                             *Berlin*


Es gibt eine Art von dünnem und großflächigem Blech, mittels dessen man an kleinen Theatern den Donner vorzutäuschen pflegt. Sehr viele solcher Bleche, noch dünner und klangfähiger, denke ich mir in regelmäßigen Abständen übereinander angebracht, gleich Blättern eines Buches, die jedoch nicht gepreßt liegen, sondern durch eine sperrige Vorrichtung voneinander entfernt gehalten sind.

Auf das oberste Blatt dieses gewaltigen Stoßes hebe ich dich empor, und sowie das Gewicht deines Körpers es berührt, reißt es krachend entzwei. Du stürzt, und stürzt auf das zweite Blatt, das ebenfalls und mit heftigerem Knalle zerbirst. Der Sturz trifft auf das dritte, vierte und fünfte Blatt und so fort, und die Steigerung des Falles läßt die Schläge in einer Beschleunigung aufeinanderfolgen, die einem an Tempo und Heftigkeit anwachsenden Trommelwirbel gleicht. Immer noch rasender werden Fall und Wirbel, in einen mächtig rollenden Donner sich verwandelnd, der endlich die Grenzen des Bewußtseins sprengt.

So pflegt das Entsetzen den Menschen zu vergewaltigen — das Entsetzen, das etwas ganz anderes ist als das Grauen, die Angst oder die Furcht. Eher ist es schon dem Grausen verwandt, das das Gesicht der Gorgo mit gesträubtem Haar und zum Schrei geöffnetem Munde erkennt, während das Grauen das Unheimliche mehr ahnt als sieht, aber gerade deshalb von ihm mit mächtigerem Griffe gefesselt wird. Die Furcht ist noch von der Grenze entfernt und darf mit der Hoffnung Zwiesprach halten, und der Schreck — ja, der Schreck ist das, was empfunden wird, wenn das oberste Blatt zerreißt. Und dann, im tödlichen Sturze, steigern sich die grellen Paukenschläge und roten Glühlichter, nicht mehr als Warnungen, sondern als schreckliche Bestätigungen, bis zum Entsetzlichen.

Ahnst du, was vorgeht in jenem Raume, den wir vielleicht eines Tages durchstürzen werden, und der sich zwischen der Erkenntnis des Unterganges und dem Untergang erstreckt?

*Fremder Besuch*                                                *Leipzig*

Ich schlief in einem altertümlichen Hause und erwachte durch eine Reihe seltsamer Töne, die wie ein nasales »dang, dang, dang« summend erklangen und mich sofort auf das höchste beunruhigten. Ich sprang auf und lief mit gelähmtem Kopfe um einen Tisch. Als ich an der Tischdecke zog, bewegte sie sich. Da wußte ich: Es ist kein Traum, du bist wach. Meine Angst steigerte sich, während das »dang, dang« immer schneller und drohender klang. Es wurde durch eine schwingende, in der Mauer verborgene Warnungsplatte hervorgebracht. Ich lief an das Fenster, aus dem ich auf eine alte, ganz schmale Gasse blickte, die im tiefen Schacht der Häuser lag, während über ihr der gezackte Schweif eines Kometen funkelte. Unten stand eine Gruppe von Menschen, Männer mit hohen, spitzen Hüten, Frauen und Mädchen, altertümlich und unordentlich angetan. Sie schienen soeben aus den Häusern auf die Gasse gelaufen zu sein; ihre Stimmen schollen zu mir herauf. Ich hörte den Satz: »Der *Fremde* ist wieder in der Stadt.«

Als ich mich umwandte, saß jemand auf meinem Bett. Ich wollte aus dem Fenster springen, aber ich war an den Boden gebannt. Die Gestalt erhob sich langsam und starrte mich an. Ihre Augen waren glühend und nahmen mit der Schärfe des Anstarrens an Umfang zu, was ihnen etwas grauenhaft Drohendes verlieh. In dem Augenblick, in dem ihre Größe und ihr roter Glanz unerträglich wurden, zersprangen sie und rieselten, als ob glühende Kohlenbrocken einen Rost durchglitten, in Funken herab. Nur die schwarzen, ausgebrannten Augenhöhlen blieben zurück, als das absolute Nichts, das sich hinter dem letzten Schleier des Grauens verbirgt.


*Tristram Shandy*                                          *Berlin*


Den Tristram Shandy trug ich während der Gefechte bei Bapaume in einer handlichen Ausgabe in der Kartentasche herum und hatte ihn auch bei mir, als wir vor Favreuil eingesetzt wurden. Da man uns in Höhe der

Artilleriestellungen vom Morgen bis zum späten Nachmittag in Bereitschaft hielt, wurde es bald recht langweilig, obwohl die Lage nicht ungefährlich war. Ich begann also zu blättern, und die verquickte, von mannigfachen Lichtern durchbrochene Weise setzte sich bald wie eine geheime Begleitstimme in eine helldunkle Harmonie zu den äußeren Umständen. Nach vielen Unterbrechungen, und nachdem ich einige Kapitel gelesen hatte, erhielten wir endlich Marschbefehl; ich steckte das Buch wieder ein und lag bereits bei Sonnenuntergang mit einer Verwundung da.

Im Lazarett nahm ich den Faden wieder auf, als ob alles Dazwischenliegende nur ein Traum gewesen wäre oder zum Inhalte des Buches selbst gehörte, als eine Einschaltung von besonderer geistiger Kraft. Ich bekam Morphium und las bald wach, bald in halber Dämmerung fort, so daß mannigfache seelische Zustände die tausend Schachtelungen des Textes noch einmal zerstükkelten und einschachtelten. Fieberanfälle, die mit Burgunder und Kodeïn bekämpft wurden, Beschießungen und Bombenabwürfe auf den Ort, durch den schon der Rückzug zu fluten begann, und in dem man uns zuweilen ganz vergaß, steigerten die Verwirrung noch, so daß ich heute von jenen Tagen nur noch die unklare Erinnerung an eine halb empfindsame, halb wilde Erregung zurückbehalten habe, in der man selbst durch einen Vulkanausbruch nicht mehr in Erstaunen geraten wäre, und in welcher der arme Yorick und der biedere Onkel Toby noch die vertrautesten der Gestalten waren, die sich vorstellten.

So trat ich unter würdigen Umständen in den geheimen Orden der Shandysten ein, dem ich bis heute treu geblieben bin.

Swedenborg verurteilt den »geistigen Geiz«, der seine Träume und Erkenntnisse verschließt.

Wie aber ist es mit der Verachtung des Geistes davor, sich auszumünzen und in Kurs zu bringen — mit seiner aristokratischen Abgeschlossenheit in den Zauberschlössern Ariosts? Das Unaussprechliche entwürdigt sich, indem es sich ausspricht und mitteilsam macht; es gleicht dem Golde, das man mit Kupfer versetzen muß, wenn man es kursfähig machen will. Wer im Morgenlicht seine Träume zu fassen sucht, sieht sie dem Gedankennetz entschlüpfen wie dem Fischer von Neapel die flüchtige Silberbrut, die sich zuweilen in die oberen Schichten des Golfes verirrt.

In den Sammlungen des Leipziger mineralogischen Instituts sah ich einen fußhohen Bergkristall, der bei der Tunnelbohrung aus dem innersten Stock des St. Gotthard gebrochen war — einen sehr einsamen und exklusiven Traum der Materie.

Zu den Dingen, die Nigromontanus mich lehrte, gehört die Gewißheit, daß unter uns eine erlesene Schar, die sich längst aus den Bibliotheken und dem Staub der Arenen zurückgezogen hat, im innersten Raume, in einem dunkelsten Tibet an der Arbeit ist. Er sprach von Menschen, die einsam in nächtlichen Zimmern sitzen, unbeweglich wie Felsen, durch deren Höhlen die Strömung funkelt, die draußen jedes Mühlrad dreht und das Heer der Maschinen im Schwunge hält — hier aber jedem Zweck entfremdet und von Herzen aufgefangen, die als die heißen, zitternden Wiegen aller Kräfte und Gewalten jedem äußeren Lichte für immer entzogen sind.

An der Arbeit? Sind es die entscheidenden Adern, in denen das Blut unter der Haut sichtbar wird? Die schwersten Träume werden in namenlosen Fruchtböden geträumt, in Zonen, von denen aus gesehen das Werk etwas

Zufälliges, einen minderen Grad der Notwendigkeit besitzt. Michelangelo, der zuletzt die Geschichte nur noch in Umrissen in den Marmor wirft und die rohen Blöcke in Höhlen schlummern läßt wie Schmetterlingspuppen, deren eingefaltetes Leben er der Ewigkeit anvertraut. Die Prosa des Willens zur Macht — ein unaufgeräumtes Schlachtfeld des Denkens, das Relikt einer einsamen, schrecklichen Verantwortung, Werksäle voll Schlüsseln, fortgeworfen von einem, der keine Zeit mehr aufzuschließen besaß. Selbst ein im Zenit Schaffender wie der Chevalier Bernini spricht vom Widerwillen gegen das abgeschlossene Werk, Huysmans im späteren Vorwort zu A Rebours von der Unmöglichkeit, die eigenen Bücher zu lesen. Das ist auch ein paradoxes Bild — gleichsam eines Menschen, der das Original besitzt und schlechte Kommentare studiert. Die großen Romane, die nicht vollendet wurden, nicht vollendet werden konnten, weil die eigene Konzeption sie erdrückt.

An der Arbeit? Wo sind jene Klöster der Heiligen, in denen die Seele in ihren mitternächtlichen und herrlichen Triumphen den Schatz der Gnade erstritt? Die Säulen der Einsiedler als Monumente einer höheren Sozietät? Wo ist das Bewußtsein geblieben, daß Gedanken und Gefühle ganz unvergänglich sind, daß etwas wie eine geheime doppelte Buchführung besteht, bei der jede Ausgabe an einer sehr entfernten Stelle als Einnahme wieder in Erscheinung tritt? Die einzig tröstliche Erinnerung knüpft sich an Augenblicke aus dem Kriege, in denen plötzlich der Feuerschein einer Explosion die einsame Gestalt eines Postens, der dort schon lange gestanden haben mußte, aus dem Dunkel riß. Durch diese unzähligen und schrecklichen Nachtwachen in der Finsternis wurde ein Schatz gesammelt, der spät verzehrt werden wird.

Der Glaube an die Einsamen entspringt der Sehnsucht nach einer namenloseren Brüderlichkeit, nach einem tieferen geistigen Verhältnis, als es unter Menschen möglich ist.

Ich schritt eine staubige, langweilige Straße entlang, die sich durch eine hügelige Wiesenlandschaft zog. Plötzlich glitt eine herrliche, stahlgrau und distelblau gemusterte Natter an mir vorbei, und obwohl ich das Gefühl hatte, sie aufnehmen zu müssen, ließ ich es zu, daß sie im dichten Grase verschwand. Dieser Vorgang wiederholte sich, nur wurden die Schlangen immer matter, unansehlicher und farbloser; die letzten lagen sogar tot und schon ganz von Staub überzogen auf dem Weg. Bald danach fand ich einen Haufen von Geldscheinen in einer Pfütze verstreut. Ich las sorgfältig jeden einzelnen auf, säuberte ihn vom Schmutz und steckte ihn ein.

*Die Klosterkirche*  *Leipzig*

Wir standen in einer alten Klosterkirche beisammen, in prächtige rot- und goldgestickte Gewänder gehüllt. Unter den versammelten Mönchen waren einige, darunter auch ich, die sich nachts in den Grabgewölben verabredeten. Wir gehörten zu jenen, die abirren, weil sie die Güte des Mächtigen wie Wein berauscht. Unser Führer war ein noch junger Mensch, der kostbarer als alle anderen gekleidet war. Der hohe Raum, unter dessen Wölbungen sich bunte Lichtbalken kreuzten, und von dessen Altären Steine und Metalle schimmerten, hielt einen schwingenden Ton, wie ihn das Springen eines herrlichen, noch unbenutzten Glases hinterläßt. Es war sehr kalt.

Plötzlich wurde unser Führer ergriffen und auf eine Chorbank gezerrt. Wir sahen, wie vor sein Gesicht zwei vergoldete Wachskerzen gehalten wurden, die sprühend brannten und einen betäubenden Rauch verbreiteten. Dann wurde er bewußtlos auf einen der Altäre geschleppt. Eine Gruppe von niederen Mönchen mit Ge-

sichtern von verknöcherter Bosheit umringte die liegen-
de Gestalt; aber kälter noch als ihre blanken Messer erschienen mir die Blicke der Hierarchen, die am Hochal-
tar, am Tor der Sakristei und am Reliquiarium aus dem
Claustrum heraustraten und die Gruppe in feierlicher
Haltung betrachteten. Es war nicht zu sehen, was geschah; ich nahm nur mit Entsetzen wahr, daß die Mön-
che Kelche zum Munde führten, mit einer milchigen Flüs-
sigkeit gefüllt, auf der sich ein blutiger Schaum kräuselte.

Alles vollzog sich sehr schnell. Die furchtbaren Gesellen traten zurück, und der Gemarterte stand langsam auf.
Wir lasen aus seinem Gesicht, daß er nicht wußte, was
mit ihm vorgegangen war. Es war alt geworden, einge-
fallen, blutleer, und weiß wie gebrannter Kalk. Mit dem
ersten Schritt, den er vorwärts tat, kam er leblos zu Fall.

Dieses Exempel, das die alte Ordnung unwiderruflich
wiederherstellte, erfüllte uns mit ungeheurer Angst. Aber
seltsam mischte sich noch ein anderes Gefühl in den nie-
dermähenden Schmerz, den ich empfand, und dessen Erinnerung mich fortan wie ein zweites Bewußtsein begleitete. Ich fühlte es wie einen Aufschlag, mit dem man aus
dem Schlafe erwacht. Wie ein jäher Schreck zuweilen
dem Stummen die Sprache verleiht, so berührte mich von
Stund an der theologische Sinn.


*Die Überzeugung*                                    *Berlin*

Wir müssen unterscheiden, ob wir etwas bloß wissen,
oder ob wir auch überzeugt davon sind. Zwischen dem
Gewußten und dem durch Überzeugung Erworbenen besteht ein Unterschied wie zwischen dem adoptierten und
dem leiblichen Kind. Die Überzeugung ist ein geistiger
Akt, der sich im Dunkel vollzieht — eine geheime Einflüsterung und eine innerste Zustimmung, die dem Willen
nicht untersteht.

So führt uns auch das sorgfältigste Studium nicht über eine bestimmte geistige Annäherung hinaus. Oft, ohne es zu merken, setzen wir indessen unsere Bemühungen fort, wenn die Lampe erlischt. Wir lernen nicht nur im Schlaf; wir werden auch im Schlafe belehrt. Nun aber begreifen wir nicht mehr Worte, Sätze und Schlüsse, sondern ein wunderliches Mosaik, das sich aus Figuren zusammensetzt. Die Gedanken erscheinen uns als rhythmische Wirbel und die Systeme als Architektur. Wir erwachen mit dem Gefühl, daß ein neues Stromsystem sich in unserer inneren Landschaft seine Bahnen gegraben hat, oder daß wir uns in fremden Waffen geübt haben.

Auf diese Weise erfassen wir die Geheimlehre, die sich in jeder Sprache von Rang verbirgt und sich hinter Worten verhüllt. Nur solche Mitteilungen besitzen überzeugende Kraft; aber die Berührung wächst uns nur zu, wenn sich ihr auch in uns selbst der Fruchtboden entgegenwölbt.


## *Der Hauptschlüssel*                                    *Berlin*

Jede sinnvolle Erscheinung gleicht einem Kreise, dessen Peripherie sich bei Tage in aller Schärfe abschreiten läßt. Nachts jedoch verschwindet sie, und der phosphorische Mittelpunkt tritt leuchtend hervor, wie die Blüte des Pflänzleins Lunaria, von dem Wierus in seinem Buche De Praestigiis Daemonum erzählt. Im Lichte erscheint die Form, im Dunkel die zeugende Kraft.

Mit unserem Verständnis verhält es sich nun so, daß es sowohl vom Umkreis her als auch am Mittelpunkte anzugreifen vermag. Für den ersten Fall verfügt der Mensch über den Ameisenfleiß, für den anderen über die Gabe der hohen Schau.

Für den Geist, der im Mittelpunkte begreift, tritt die Kenntnis der Umkreise in den zweiten Rang zurück —

ähnlich wie für den, der über den Hauptschlüssel eines Hauses verfügt, die Schlüssel zu den einzelnen Räumen von geringerer Bedeutung sind.

Es ist das Kennzeichen der Geister erster Ordnung, daß sie im Besitze des Hauptschlüssels sind. Sie dringen, wie Paracelsus mit der Springwurzel begabt, mühelos in die einzelnen Kammern ein; sehr zum Ärger der Leute vom Fach, die ihre Registraturen mit einem Schlage außer Kraft gesetzt sehen.

So erinnern unsere Bibliotheken an das geologische Weltbild Cuviers: Lagerstätten von Fossilien, an ein geschäftiges Treiben gemahnend, das der katastrophale Einbruch des Genius Schicht um Schicht niederschlug. Daher kommt es denn auch, daß das frische Leben in diesen Ossuarien des menschlichen Geistes jene Beängstigung empfindet, welche die Nähe des Todes erweckt.

## Der kombinatorische Schluß    Berlin

Die hohe Einsicht wohnt nicht in den einzelnen Kammern, sondern im Gefüge der Welt. Ihr entspricht ein Denken, das sich nicht in abgesonderten und abgeteilten Wahrheiten bewegt, sondern im bedeutenden Zusammenhang, und dessen ordnende Kraft auf dem kombinatorischen Vermögen beruht.

Der ungemeine Genuß, den die Beschäftigung mit solchen Geistern gewährt, gleicht der Wanderung inmitten einer Landschaft, die sich ebensowohl durch die Weite ihres Umkreises als durch die Fülle der Einzelheiten auszeichnet. Die Aussichten wechseln in mannigfaltigem Reigen ab, während der Blick sie mit stets gleichmäßiger Heiterkeit erfaßt, ohne daß er sich je im Verworrenen und Ungefügen oder im Kleinlichen und Verschrobenen verliert. Bei allem Reichtum an Varianten, den der Geist zu erzeugen, und bei aller Leichtigkeit, mit der er die Gebiete zu wechseln vermag, verharrt er mit ungezwungener Strenge in seinem Zusammenhang. Seine Kraft scheint zu wachsen, gleichviel, ob er sich vom Motiv zur Ausführung wendet oder von der Ausführung zum Motiv zurück. Diese Art der Bewegung läßt sich, unter Abwandlung des schönen Bildes von Clausewitz, dem Gang durch einen verschlungenen Park vergleichen, in dem man doch von jedem Punkte aus den hohen, im Zentrum errichteten Obelisken erblickt.

Das kombinatorische Vermögen unterscheidet sich vom nur logischen insofern, als es sich stets in Fühlung mit dem Ganzen bewegt und nie im Vereinzelten verliert. Wo es das einzelne berührt, gleicht es einem Zirkel aus doppeltem Metall, dessen goldene Spitze im Zentrum fußt. Dabei ist es in weit geringerem Maße auf Daten angewiesen; es beherrscht eine überlegene Mathematik, die zu multiplizieren und zu potenzieren versteht, wo die gewöhnliche Rechenkunst sich mit einfachen Additionen behilft.

Wo es daher dem Genius auch immer beliebt, das Feld der Wissenschaften zu betreten, da liefert er den Leuten vom Fach ein kurzes, entscheidendes Gefecht, indem er sie, die gewissermaßen in der geraden Linie gegen ihn anrücken, mit Leichtigkeit zu überflügeln und aus den Flanken zu erschüttern vermag. Am schönsten und schnellsten tritt seine Überlegenheit in der Kriegskunst hervor.

Insofern es zu den Aufgaben des Verstandes gehört, die Dinge nach ihrer Verwandtschaft zu ordnen, zeigt sich der kombinatorische Schluß dadurch überlegen, daß er die Genealogie der Dinge beherrscht und ihre Ähnlichkeit in der Tiefe aufzuspüren weiß. Der einfache Schluß dagegen sieht sich auf die Feststellung der Oberflächen-Ähnlichkeit beschränkt und plagt sich damit ab, am Stammbaum der Dinge die Blätter zu messen, deren Grundmaß jedoch im Keimpunkt der Wurzel verborgen liegt.

Übrigens wird auch der vorzügliche Fachmann daran erkannt, daß er über umfassendere Reserven verfügt, als sie in seiner Disziplin enthalten sind. Jede bedeutende Einzelarbeit ist wenigstens mit einem Tropfen kombinatorischen Vermögens versetzt, und wie fühlt man sich beflügelt, wenn man schon in der Einleitung auf jene zugleich starken und spielenden Sätze stößt, durch die sich die Souveränität zu erkennen gibt. Das ist ein Salz, das der Zeit und jedem ihrer Fortschritte widersteht.

## Der schwarze Ritter                    *Leipzig*

Ich stehe in einer Rüstung aus schwarzem Stahl vor einem höllischen Schloß. Seine Mauern sind schwarz, die riesigen Türme blutrot. Vor den Toren schießen weiße Flammen als lodernde Säulen empor. Ich schreite hindurch, überquere den Burghof und steige die Treppen hinan. Saal an Saal, Flucht an Flucht schließt sich vor mir auf. Der Schall meiner Schritte zerschellt an den gequaderten Wänden, sonst ist es totenstill. Endlich trete ich in ein kreisrundes Turmzimmer ein, über dessen Tür eine rote Schnecke in den Stein gemeißelt ist. Es ist fensterlos, und doch ist die riesenhafte Dicke der Mauern zu spüren; kein Licht brennt, und doch erhellt ein seltsamer, schattenloser Glanz den Raum.

Um einen Tisch sitzen zwei Mädchen, ein schwarzes und ein blondes, und eine Frau. Obwohl die drei sich nicht ähneln, müssen es Mutter und Töchter sein. Vor der Schwarzen liegt ein Haufen langer, blitzender Hufnägel auf dem Tisch. Sorgfältig nimmt sie einen nach dem anderen in die Hand, prüft seine Schärfe und sticht ihn der Blonden durchs Gesicht, Glieder und Brust. Die rührt sich nicht und spricht keinen Laut. Einmal streift ihr die Schwarze den Rock zurück, und ich sehe, daß die Schenkel und der zerfleischte Leib nur noch aus einer blutigen

Wunde bestehen. Diesen lautlosen Bewegungen haftet eine ungemeine Langsamkeit an, als ob der Lauf der Zeit durch geheime Vorrichtungen verzögert sei.

Auch die Frau, die den beiden gegenübersitzt, hält sich stumm und regungslos. Sie trägt wie die ländlichen Heiligenbilder ein großes, aus rotem Papier geschnittenes Herz, das fast die ganze Brust verbirgt. Mit Entsetzen bemerke ich, daß bei jedem Nagelstich, den die Blonde empfängt, sich dieses Herz schneeweiß wie glühendes Eisen färbt. Ich stürze hinaus, dem Ausgang zu, mit dem Gefühl, dieser Probe nicht gewachsen zu sein. Vorüber fliegt Tür an Tür, von stählernen Riegeln verwahrt. Da weiß ich: hinter jeder Tür, vom tiefsten Keller bis in das höchste Turmgelaß, spielen endlose Folterqualen, von denen nie ein Mensch erfahren wird. Ich bin in die geheime Burg des Schmerzes eingedrungen, doch war bereits das erste seiner Modelle zu stark für mich.

### *Der stereoskopische Genuß*                    *Berlin*

Bei den Korallenfischen im Aquarium. Eines dieser Tiere war ganz unübertrefflich gefärbt, tief dunkelrot und mit sammetschwarzen Binden gestreift, von einer Tönung, wie sie nur an jenen Stellen der Erde möglich ist, an denen das Fleisch in Inseln wächst. Sein cremeartiger Körper schien so durchaus weich, so durchaus Farbe, daß man das Gefühl hatte, mit einem ganz leichten Fingerdruck durch ihn hindurchstoßen zu können.

Bei diesem Anblick wurde mir einer der Genüsse höheren Grades bewußt, nämlich die stereoskopische Sinnlichkeit. Das Entzücken, wie es eine solche Farbe erweckt, beruht auf einer Wahrnehmung, die *mehr* als die reine Farbe umfaßt. In diesem Falle trat etwas hinzu, das man den Tastwert der Farbe nennen könnte, ein Hautgefühl, das den Gedanken der Berührung angenehm erscheinen ließ.

Dieser Tastwert tritt vor allem an sehr leichten und sehr schweren, aber auch an den metallischen Farben hervor, und entsprechend wissen die Maler sie in einer Weise zu verwenden, die auf das Gebiet des Hautsinnes überspielt, wie Tizian in seinen Gewändern, und wie Rubens in seinen Körpern, von denen Baudelaire als von Kissen frischen Fleisches spricht.

Auch ganzen Bildgattungen wohnt diese Eigentümlichkeit inne, wie dem Pastell; und es ist kein Zufall, daß die Pastellmalerei sich mit Vorliebe den anmutigen Frauenkopf zum Vorwurf nimmt. Sie gehört zu den erotischen Künsten, und es hat etwas Symbolisches, daß ihr »Sammet«, der erste blühende Schmelz ihrer Farben, so bald verlorengeht.

Auf stereoskopische Weise besonders genießen wir Karnation, Laubgebung, Strich, Lasur, Transparenz, Firnis und den Untergrund, etwa die Maserung der Holztafel, den gebrannten Ton der Vase oder die kreidige Porosität der gekalkten Wand.

Stereoskopisch wahrnehmen heißt, ein und demselben Tone gleichzeitig zwei Sinnesqualitäten abgewinnen, und zwar durch ein einziges Sinnesorgan. Das ist nur auf die Weise möglich, daß hierbei ein Sinn außer seiner eigenen Fähigkeit noch die eines anderen übernimmt. Die rote, duftende Nelke: das ist also keine stereoskopische Wahrnehmung. Stereoskopisch dagegen können wir die sammetrote Nelke, stereoskopisch den Zimmetgeruch der Nelke wahrnehmen, durch den der Geruch nicht nur durch eine aromatische, sondern gleichzeitig durch eine Gewürzqualität betroffen wird.

In diesem Zusammenhange ist auch ein Ausflug an die besetzte Tafel aufschlußreich. So wird das Aroma der Gewürze, Früchte und Fruchtsäfte nicht nur gerochen, sondern auch geschmeckt; es wird zuweilen, wie bei den Rheinweinen, sogar nach Farben schattiert. Auffällig ist das Hinübergreifen des Geschmackes in die Bezirke des

Tastsinnes; das geht so weit, daß bei vielen Speisen die Freude an der Konsistenz überwiegt, ja, daß bei einigen der eigentliche Geschmack ganz in den Hintergrund tritt.

Es kann wohl kein Zufall sein, daß dies gerade bei besonders gepriesenen Dingen so häufig ist. Hierher gehört der Mousseux, der dem Sekt seine besondere Stellung unter den Weinen verleiht. Hierher gehört auch der Streit darüber, was denn eigentlich an einer Auster sei; er wird unentschieden bleiben, wenn man nicht den Tastsinn zu Rate zieht. Der Geschmack wird gezwungen, seine Grenzen zu überschreiten; und er ist dankbar, wenn man ihm mit einem Tropfen Zitronensaft zu Hilfe kommt. Ganz ähnlich scheint auch vielen das Kölnische Wasser mehr eine Erfrischung als ein Parfüm; aus diesem Grunde setzt man ihm gern einen Tropfen Moschus zu.

Der Baron Vaerst bemerkt in seiner Gastrosophie, daß gerade Gegenstände, die an den Grenzen der Naturreiche stehen, besonders schmackhaft seien. Daran ist insofern etwas Richtiges, als hier fast immer extreme Ausflüge in Frage kommen, Dinge, die »eigentlich gar nicht eßbar sind«. Ihr feiner und verborgener Reiz ist auf die kräftigere Instrumentation des Tastsinnes angewiesen, und es gibt Fälle, in denen dieser die Rolle des Geschmackes fast gänzlich übernimmt.

Es scheint überhaupt, daß der Tastsinn, von dem sich auch alle anderen Sinne ableiten lassen, eine besondere Rolle in der Erkenntnis spielt. Ähnlich wie wir, wenn uns die Begriffe im Stiche lassen, immer wieder zur *Anschauung* unsere Zuflucht nehmen müssen, so greifen wir bei vielen Wahrnehmungen unmittelbar auf den Tastsinn zurück. Daher lieben wir es, über neue, seltene oder kostbare Dinge mit den Fingerspitzen zu streifen — das ist eine Geste ebenso naiver wie kultivierter Art.

Um auf die Stereoskopie zurückzukommen: Ihre Wirkung liegt darin, daß man die Dinge mit der inneren Zange faßt. Daß dies durch nur einen Sinn, der sich gleichsam spaltet, geschieht, macht die Feinheit des Zugriffes groß. Die wahre Sprache, die Sprache des Dichters, zeichnet sich durch Worte und Bilder aus, die so ergriffen sind, Worte, die, obwohl uns seit langem bekannt, sich wie Blüten entfalten, und denen ein unberührter Glanz, eine farbige Musik zu entströmen scheint. Es ist die verborgene Harmonie der Dinge, die hier zum Klingen kommt, und von deren Ursprung Angelus Silesius sagt:

»Die Sinne sind im Geist all ein Sinn und Gebrauch: Wer Gott beschaut, der schmeckt, fühlt, riecht und hört ihn auch.«

Jede stereoskopische Wahrnehmung ruft in uns ein Gefühl des Schwindels hervor, indem wir einen sinnlichen Eindruck, der sich uns zunächst in seiner Fläche bot, in der Tiefe auskosten. Zwischen dem Erstaunen und dem Entzücken liegt, wie von einem köstlichen Sturz, eine Erschütterung, in der sich zugleich eine Bestätigung verbirgt— wir fühlen, wie das sinnliche Spiel sich als ein geheimnisvoller Schleier, als ein Vorhang des Wunderbaren leise bewegt.

Es gibt an dieser Tafel keine Speise, in der nicht ein Körnchen vom Gewürz der Ewigkeit enthalten ist.


*Die Schleife*                                    *Leipzig*


... und in die Methodik führte mich Nigromontanus ein, ein vortrefflicher Lehrer, dessen ich mich leider nur tastend zu entsinnen vermag. Daß ich ihn fast ganz vergaß, liegt daran, daß er hinter sich die Spur zu löschen liebte wie ein Tier, das im innersten Dickicht haust. Doch ist der Vergleich nicht gut gewählt; besser ließe sich von ihm berichten, daß er wie ein Lichtstrahl war, der das Verborgene sichtbar macht, während er selbst im Unsichtbaren verweilt.

Nur wenn ich guter Laune bin, bei vorzüglichem inne-

ren Barometerstand, fallen mir gewisse seiner Eigentüm-
lichkeiten ein, aber auch dann nur wie die Zeichen einer
längst vergessenen Schrift. So strenge ich mich stets vergeblich an, im Geist den Weg zu seinem Seminar zurück-
zulegen, wie man doch oft verflossener Schulwege gedenkt. Indem ich darüber nachgrüble, gerate ich sogleich
in sonderbare Verwirrungen. So weiß ich wohl, daß er
den dritten Stock eines Braunschweiger Mietshauses be-
wohnte, das sich nahe der Oker zwischen Laubengärten
erhob. Auch Schuttplätze waren in das Viertel eingesprengt, in deren Zäune der bittersüße Nachtschatten seine Ranken flocht, während auf ihren Halden der Flug-
hafer gilbte und der Stechapfel die weißen Kelchfähnchen
im Abendwinde schaukelte. Wenn ich durch die schmalen
Wege schritt, hörte ich die Drosseln, Goldhähnchen und
Zaunkönige, die mich in den Hecken flatternd begleiteten. Noch waren hier weder Laternen noch Straßenschil-
der angebracht, und so kam es wohl, daß ich oft in die
Irre ging. In der Erinnerung nun vergrößern sich diese
Irrwege auf unentwirrbare Art, so daß es mir fast scheint,
als ob er inmitten eines Archipels auf einer Insel gewohnt
hätte, und zwar auf einer solchen, der kein Schiff sich zu
nähern vermag, weil die Abweichung allen Berechnungen
trotzt.

Hier fällt mir ein, daß er einmal auf gewisse Gegen-
stücke des Magnetberges zu sprechen kam, auf geistige
Zentren von so abweisender Kraft, daß sie dem gewöhnlichen Sinn unnahbarer und unbekannter als die Rückseite des Mondes sind. Es geschah dies in seiner Vorle-
sung über die metalogischen Figuren, und zwar im besonderen über jene, die er als die Schleife bezeichnete. Unter
der Schleife verstand er eine höhere Art, sich den empiri-
schen Verhältnissen zu entziehen. So betrachtete er die
Welt als einen Saal mit vielen Türen, die *jeder* benützt,
und mit anderen, die nur wenigen sichtbar sind. Wie man
in Schlössern, wenn Fürsten erscheinen, besondere, sonst

streng verschlossene Portale zu öffnen pflegt, so springen vor der Geistesmacht des hohen Menschen die unsichtbaren Türen auf. Sie gleichen Fugen im groben Bau der Welt, die nur das feinste Vermögen zu durchgleiten vermag, und alle, die sie je durchschritten, erkennen sich an Zeichen von geheimer Art.

Wer so die Schleife zu beschreiben weiß, genießt inmitten der riesigen Städte und im Sturme der Bewegung die herrliche Windstille der Einsamkeit. Er dringt in verkleidete Gemächer ein, in denen man der Schwerkraft und den Angriffen der Zeit in geringerem Maße unterliegt. Hier wird leichter gedacht; im unfaßbaren Augenblick erntet der Geist Früchte ein, die er sonst durch jahrelange Arbeit nicht gewinnt. Auch schwindet der Unterschied zwischen der Gegenwart, Vergangenheit und Zukunft dahin. Das Urteil wird wohltätig wie eine leuchtende Flamme, ungetrübt von den Einflüssen der Leidenschaft. Hier auch findet der Mensch die rechten Maße, an denen er sich zu prüfen hat, wenn er am Scheidewege steht.

Nigromontanus wußte von einsamen Geistern zu berichten, deren Wohnung, obwohl sie mitten unter uns zu weilen scheinen, das Unzugängliche ist. Diese, an die reinen, hohen Grade des Feuers gewöhnt, treten nur hervor, wenn die Nähe der höchsten Gefahr ihnen den Übergang erträglich macht. Glücklich aber, meinte er, sei schon der zu schätzen, der im umgekehrten Verhältnis in der Welt sich tätig bewege und nur für einen Augenblick der Schleife fähig sei. Als Gleichnis solcher Augenblicke führte Nigromontanus gern das kurze Schweigen an, das der Aufforderung zur Übergabe folgt.

Wie hoch indessen er die Kraft, die Wände unserer stumpfen Sinne zu durchschreiten, pries, so sehr pflegte er auch vor der Verachtung des Menschen zu warnen, die der Anblick der Schwäche allzu leicht erzeugt. Wenn er dies berührte, hörte ich ihn oft erwähnen, daß es *eine* Schleife gäbe, die auch der letzte zu beschreiben fähig sei, und daß das Todestor, als das wichtigste der unsichtbaren Tore, für uns alle, ohne Unterscheidung, Tag und Nacht geöffnet sei. Er nannte den Tod die wundersamste Reise, die der Mensch vermöchte, ein wahres Zauberstück, die Tarnkappe aller Tarnkappen, auch die ironischste Replik im ewigen Streit, die letzte und unangreifbare Burg aller Freien und Tapferen — überhaupt war er bei der Behandlung dieser Materie ganz unerschöpflich in Vergleichen und Lobsprüchen.

Es ist leider richtig, daß ich seine Lehren allzubald vergaß. Statt bei meinen Studien zu verweilen, trat ich bei den Mauretaniern ein, diesen subalternen Polytechnikern der Macht.

## *In den Kaufläden, 1*  *Goslar*

Zu den Dingen, die mir in den Läden merkwürdig erscheinen, gehört der eigensinnige Hang der Kaufleute, die Ware, auch wenn sie an sich schon so vorzüglich verpackt ist wie etwa eine Schokoladentafel, noch mit einer besonderen Umhüllung zu versehen. Es ist dies ein Verfahren, das wie jeder Akt der Höflichkeit seine Hintergründe hat.

Zunächst muß man in ihm wohl einen Überrest der Feierlichkeiten vermuten, mit denen früher der Handel verbunden, oder von denen er sogar abhängig war. Das tritt auf den offenen Märkten, auf denen immer eine Art von Feststimmung herrscht, noch deutlicher hervor. Besonders der Viehhandel hat heute noch sein Ritual, seine Opfer und seine Beschwörungen. Die auf den Pferdemärkten feilschenden Gruppen treiben Handel wie zur Zyklopenzeit. Ursprünglich muß ohne Zweifel der Händler der Schutzbedürftigere und damit vor allem auf zeremonielle Bekräftigung Angewiesene gewesen sein, während sich der Käufer wohl allzu leicht in einen gewaltsamen Räuber verwandelte. Solche Verhältnisse reichen bis in unsere Tage hinein; man findet sie wieder, wenn man die Berichte der Südseefahrer liest.

Einem jeden Verkäufer wohnt der natürliche Hang inne, an der Ware abschließende Griffe zu tun. Das Einwickeln, Verhüllen und Umschnüren besitzt außerdem einen verbergenden Zug; das besonders geschätzte Geschäft ist das Geschäft unter der Hand. Darüber hinaus wohnt diesem Verfahren in unserer Zeit auch noch ein anderer, und zwar standesgemäßer Charakter inne, und zwar insofern, als der große Angriff der Technik gegen die ständische Welt sich auch auf den Kaufmannsstand erstreckt. Das Abwägen, Abmessen und verschiedenartige Verpacken sind in diesem Sinne Akte, durch die der Kaufmann sich noch an jenen alten Verhältnissen beteiligt, wie sie in »Soll und Haben« oder in »Handel und Wandel« geschildert sind. Er wehrt sich auf diese Weise gegen den Andrang der Industrie, die ihn zum bloßen Verteiler hinabdrücken will. Es gibt aber bereits Gebiete, auf denen der Kampf zu seinen Ungunsten entschieden ist. Zu ihnen gehört das Tabakgeschäft. Das Tabakgeschäft ist kaum noch als Laden im alten Sinne anzusprechen, eher als Kiosk. Der Handel ist hier auf ein Mindestmaß eingeschränkt; der Käufer erhält mit einem einzigen Griff die Ware, die ihm als das stets gleiche, abgewogene, abgemessene und versteuerte Päckchen überliefert wird. Es ist vorauszusehen, daß diese Art des Verkaufes sich in den nächsten Jahrzehnten ungemein ausbreiten und auch in Gebiete eindringen wird, von denen es heute noch niemand ahnt.

Es gibt aber auch Orte, an denen man auf Verpackung keinen Anspruch erheben kann; zu ihnen gehören die Schalter der Post und der Eisenbahn. Die Zwistigkeiten, die man hier beobachten kann, beruhen darauf, daß der Käufer die höflichen Gepflogenheiten vermißt, die dem Handelsgeschäft eigentümlich sind. Der geheime Unterschied, der hier wirkt, ist der zwischen Kundschaft und

Publikum. Wenn man Postkarten im Laden kauft, steht man in einem ganz anderen Verhältnis, als wenn man dieselben Postkarten am Schalter erwirbt. Dieser Unterschied drückt sich schon in der äußeren Einrichtung aus. So ist der Kaufmanns-Tresen möglichst breit gebaut, damit man die Käufer nebeneinander bedienen kann; der Zugang zu den Schaltern dagegen ist auf das Nacheinander der Abfertigung angelegt. Während jeder Verkäufer bekanntlich seine Ware zu loben versucht, ist der Beamte immer zu Einwänden geneigt, verweist an andere Schalter, gibt nur bestimmte Mengen ab und zeigt sich im allgemeinen eher bestrebt, den Käufer abzuweisen als anzuziehen. Sehr deutlich wird der Unterschied auch darin, daß der Händler liebenswürdig, der Beamte dagegen bedenklich wird, wenn man »große Mengen« verlangt. Es handelt sich hier um lehrreiche Vorpostengefechte zwischen dem Händlertum und der Beamtenschaft oder zwischen den Kasten der Schreiber und der Kaufleute. Das Treffen nimmt großartige Ausmaße an, wenn eine dieser Haltungen den Sieg über die andere erficht, wie das etwa in der Einführung der Planwirtschaft zutage tritt. In diesem Falle wandeln sich, wie man das im Kriege beobachten konnte, alle Ladengeschäfte in Schalterräume um, vor denen das Publikum in langen Schlangen der Abfertigung harrt. Der umgekehrte Vorgang vollzieht sich, wenn der Händler triumphiert; nach dem verlorenen Kriege wurden die Schalterräume dem Stil der Warenhäuser angepaßt. Wo der Händler innerhalb der eigenen Substanz Beziehung zur Macht gewinnt, findet übrigens eine gewisse Überschneidung dieser Kreise statt. So ahmt die Hochfinanz die staatlichen Einrichtungen nach; man spricht von Bankbeamten und Bankschaltern, und die Schatzkammern sind wie Festungen gebaut.

In bezug auf die Tabakläden fällt mir auf, daß viele Kunden in ihnen noch etwas länger zu verweilen suchen, als das in anderen Geschäften üblich ist. Man führt da

Gespräche über die letzten Neuigkeiten, über das Wetter, über die Politik — es ist überhaupt ein angenehmes Gefühl, mit dem man den Laden betritt. Hierin besitzen diese Geschäfte eine gewisse Ähnlichkeit mit den Stehbierhallen — was wohl damit zusammenhängt, daß es im Grunde eine narkotische Droge ist, die man dort kauft. Eine ähnliche Stimmung herrscht in den Friseurgeschäften, freilich mit anderem, vertraulicherem Bezug. Allen Berufen, die der unmittelbaren Bedienung des Körpers gewidmet sind, wie dem der Friseure, Kellner, Badediener, Masseure haftet der Charakter einer kastenmäßigen Gemeinsamkeit an. Man bemerkt hier vor allem die geschmeidige Abhängigkeit; der Friseur geht um den Bart, seine politische Meinung ist die dessen, den er gerade rasiert. Dennoch vermag er auch zu wirken; sein Mittel, das der körperlichen Nähe entspricht, ist das der Einflüsterung. Der Einflüsterung ist schwerer zu widerstehen, als man gemeinhin denkt. So hat wohl jeder bei solcher Gelegenheit einmal wider Willen eine Reihe von unnötigen Einkäufen gemacht, und es gibt Verhältnisse, in denen es sich noch um Wichtigeres handelt als um das. Die politische Verfassung, innerhalb deren sich dieser Typus am besten zu entfalten vermag, ist die despotische; auch handelt es sich um ein Geschäft, das sich in Verfallszeiten belebt. Orte und Landschaften, in denen man viele und blühende Tempel der Kosmetik erblickt, sind immer merkwürdig, zuweilen sogar an das Märchenhafte anklingend. In vorzüglichen Geschäften dieser Art verfällt man leicht in entlegene oder altertümliche Stimmungen, etwa in ein asiatisches oder satrapenhaftes Wohlbehagen, wie es außerdem nur der Besuch der russischen Dampfbäder oder das Spiel von Zigeunerkapellen erzeugt. Auch betritt man weniger einen Laden als einen Salon; man wird gefällig, höflich und verschwiegen bedient. Nichts ist seltener als ein grober Friseur. Natürlich besitzen diese Verhältnisse auch ihre horoskopischen Entsprechungen;

es ist vor allem der Mond, der hier seinen Einfluß übt. Man findet fast ohne Ausnahme das lunarische Gesicht, blaß, lymphatisch, bewegt; ferner eine niedere Beziehung zum Schmuck, zur Bildung, zur vornehmen Welt. Wie in allen lunarischen Räumen trifft man Spiegel, Kristalle und Parfüme im Überflusse an. Auch wird oft Sinn für Eleganz, insbesondere für zierliches Schuhwerk, und eine flache Fertigkeit in der Erlernung fremder Sprachen auffallen. Smerdjakoff in den Karamasoffs gehört als ausgesprochener Vertreter dieser Kaste an. Sowie ich auf diese Beziehungen aufmerksam wurde, fiel mir die Zugehörigkeit auch auf der Straße auf. Der beste Treffer gelang mir auf der Fahrt von Neapel nach Capri, auf der ich einen üppig gekleideten Passagier von stark aufgetragener Höflichkeit in diesem Sinne einordnete. Bei Tisch saß ich neben ihm; er stellte sich als der Direktor eines europäischen Hotelkonzernes vor und verwickelte mich in ein Gespräch über die Selbstmörder, in denen er einen Abschaum der Menschheit zu erblicken schien. »So ein einziger Lump ist imstande und verdirbt Ihnen die beste Saison.«

Die Übung, auf diese Art zu sehen, beschränkt sich übrigens nicht auf das Vergnügen, das sie ohne Zweifel gewährt. Gemeinhin teilen wir die Menschen in zwei große Klassen ein, etwa in Christen und Nichtchristen, Ausbeuter und Ausgebeutete und so fort. Hiervon ist niemand frei, denn von allen Teilungen ist die Zweiteilung die nächstliegende. Es ist aber zu bedenken, daß die Zweiteilung keine harmonische Teilung ist; sie ist logischer oder moralischer Natur. Diese ihre Natur bringt es mit sich, daß sie immer einen Rest hinterläßt; so muß beim Zweiparteien-System immer wieder gewählt werden, oder an der Grenze zwischen Christen und Heiden herrscht ewiger Krieg. Die Stetigkeit dagegen wächst in demselben Maße, in dem man über die geistige Teilung hinaus auch zur substanziellen Teilung befähigt ist, und je zahlreicher die Fächer sind, desto sicherer ist das aufgehoben, was man in ihnen verwahrt. Hierauf beruht der Vorteil der Kasten-Ordnung, die sich sowohl durch die Zweiteilung als auch durch die Vielteilung bestimmt.

Schwierig, aber lohnend wäre die Untersuchung, ob in unserer Arbeitswelt solche Keime enthalten sind, das heißt, ob sich eine Neigung der speziellen Arbeitscharaktere zur Verdichtung beobachten läßt. Jedenfalls ist es nicht ihre Vereinfachung, die der Möglichkeit der Vielteilung widerspricht.

*Rot und Grün*                                    *Goslar*

Kurz vor Einbruch der Dämmerung veränderte ein fast beunruhigendes Farbenspiel die Stadt. Alle roten und gelben Dinge begannen sich zu regen und zu erwachen; sie nahmen Tönungen an, wie sie den Blüten der Kapuzinerkresse eigentümlich sind. Besonders die alten Ziegeldächer glichen Polstern aus roter Kreide — gesättigten Speichern, die ein Übermaß von Leuchtstoff ausstrahlten. Zugleich wurde die Landschaft künstlicher, alle architektonischen und parkartigen Elemente traten stärker hervor. Das Schauspiel beruhte wohl darauf, daß die Stadt bei untergegangener Sonne durch die hohen, roten Abendwolken wie durch Ampeln noch Licht empfing.

Ganz ähnlich beobachtete ich, daß die grüne Farbe die erste ist, die sich in der Morgendämmerung belebt. Sie beginnt um diese Stunde mit silberner Zartheit in die Dinge einzuströmen wie die Lebenskraft in den Körper des Genesenden. Man hat da zuweilen den Eindruck eines noch feuchten Aquarells, in dem erst eine Allee oder eine Baumgruppe farbig behandelt ist.

Es scheint diesen Vorgängen ein Gesetz zugrunde zu liegen, das sich auch im Jahreslaufe wiederholt. Hier breiten sich die Farben nacheinander vom lichten Grün des Fühlings bis zum schweren, leuchtenden Metallglanz aus. So ein Garten im Herbst ist das lautere Gold. Dasselbe gilt für die Früchte, bei denen die Reife im Übergange vom Grün zum Gelb oder Rot sichtbar wird. Auch das Violette, Blaue und Schwarze ist in diesem Sinne nur ein gesteigertes Rot.

Übrigens erschien mir diese Beleuchtung so außerordentlich, daß ich die Gesichter der Menschen beobachtete, die auf der Straße gingen, und mich wunderte, sie nicht beunruhigt zu sehen. Es liegt eine besondere Beängstigung in dem Bewußtsein, daß man als einziger von einem bedeutenden Schauspiel angesprochen wird. Freilich wirkt das Gegenteil wohl ebenso stark; etwa wenn man die Einwohner einer Stadt vor ihren Türen stehen und sich über fremdartige Dinge unterhalten sieht. Ich hatte bei solchen Gelegenheiten zuweilen das Gefühl: da muß ein Komet hinter den Dächern stehen.


*Aus den Strandstücken, 1*                          *Neapel*


Auf dem Wege zum Cap Miseno und von dort nach Procida erschien mir der Meeresgeruch tiefer, durchdringender und belebender als sonst. Jedesmal, wenn ich, ihn einatmend, den schmalen Saum verfolge, der durch die rollende Woge geglättet wird, empfinde ich jene Leichtigkeit, die einen Gewinn an Freiheit verrät. Es mag das darauf beruhen, daß dieser Geruch Verwesung und Fruchtbarkeit zur Einheit mischt; Zeugung und Untergang halten sich in ihm die Waagschale.

Diese geheime Gleichung, die das Herz stärkt und beruhigt, drückt sich vor allem im dunklen Dunste des Seetanges aus, den das Meer in lichtgrünen Gespinsten, in schwarzen Büscheln und glasbraunen Trauben über die Strandlinie wirft als Bett, auf das es die bunten Opfer seines Überflusses streut. Vieles geht dort dahin, und der

Wanderer sieht seinen Weg von Verwesung gesäumt. Er sieht die weißen Leiber der Fische von der Zersetzung gebläht, den Seestern von den Spitzen seiner leuchtenden Zacken her zu mißfarbigem Leder verdorren, den geschwungenen Rand der Muschel klaffend aufspringen, um den Tod zu empfangen, und die Quallen, diese treibenden Prunkaugen des Ozeans mit ihrer goldflimmernden Iris, so gänzlich dahinschwinden, daß kaum ein trockenes Schaumhäutchen von ihnen bleibt.

Dennoch fehlen hier die Schrecken der Schlachtfelder, die der Krieger verlassen hat, denn ohne Unterlaß wird diese bunte Beute von den spitzen, salzigen Raubtierzungen des Meeres beleckt, die nach ihrem Blutstoff spüren und ihn wieder einschlürfen. Dieses Tote ist den Quellen des Lebens verbunden, daher gleicht sein Geruch einem bitteren Heiltrank, der die fiebrigen Ängste vertreibt. Wohl fällt auch hier, wenn sie See in der Ferne summt wie eine der großen Muscheln, die wir als Kinder vom Kaminsims nahmen, um daran zu horchen, und auf deren rosafarbene Haut eine üppige Krankheit blaue Stockflecke zu treiben schien — wohl fällt auch hier die Nähe des Todes jenen Tropfen Mohn ins Blut, der schwermütig und träumerisch stimmt und den dunklen Maskenzug der Vernichtung beschwört. Doch dafür trifft auch der Strahl des Lebens dreimal leuchtend das Herz wie aus dem geheimnisvollen schwarzen Stein, der rote Blitze schießt.

Dies ist die krause Witterung des Fleisches, mit den beiden großen Symbolen des Todes und der Zeugung belehnt, und daher wohl würdig, den Grenzgang zu würzen zwischen Festland und Meer.


*Aus dem Guckkasten*                                        *Berlin*


Unter unseren Erinnerungen sind manche von eigentümlich bildhafter Schärfe; wir blicken auf Ausschnitte der Vergangenheit wie durch Schlüssellöcher oder durch die runden Scheiben der Panoramen, die man früher auf den Jahrmärkten ausstellte. Wenn wir solche Bilderchen, die plötzlich auftauchen, als ob eine Klappe herunterfiele, ins Auge fassen, wird uns auffallen, daß es sich dabei nicht um Vorgänge handelt, bei denen das Bewußtsein mit besonderer Anspannung arbeitete. Viel gegenwärtiger sind uns oft Umstände, an denen wir uns in einer dumpfen, traumhaften Weise beteiligten. Etwa eine alte Frau nimmt uns an der Hand und führt uns in das Zimmer, in dem der Großvater gestorben ist. Solche Erinnerungen ruhen oft lange Zeit; sie gleichen mit unsichtbaren Strahlen belichteten Filmen, zu deren Entwicklung wir eines Tages fähig sind. Zu ihnen gehört auch die erotische Begegnung, und vor allem die erotische Begegnung im anarchischen Raum.

Ich lebte in einem beständigen Fieber; ich hatte das Lazarett verlassen, weil mir das Liegen unerträglich geworden war, aber ich war weit davon entfernt, geheilt zu sein. Am Morgen hustete ich noch zuweilen Blut in mein Taschentuch, aber ich bemühte mich, es zu übersehen. Ich rauchte schwere Zigaretten, von denen ich die erste bereits beim Erwachen vom Nachttisch nahm, und der Wein stieg mir leicht zu Kopf.

In den Nächten wurde ich zuweilen durch Schüsse aufgeschreckt, denn in dem winkligen Viertel, in dem ich mich eingemietet hatte, lagen Gefängnisse, und man versuchte, die Gefangenen zu befreien. In einer nahen Kaserne arbeitete ein Standgericht, das jeden Morgen die Plünderer, die man nachts aufgegriffen hatte, hinter einem Denkmal erschießen ließ. Die Kinder meiner Wirtin kannten die Stunde und sahen aufmerksam zu. Wenige Schritte von diesem Denkmal entfernt war ein Rummelplatz aufgebaut, die Orgeln der Karussells spielten vom Abend bis zum Morgengrauen.

An den Vormittagen sahen die Straßen öde und verfallen aus, ihr Pflaster war aufgerissen; man hatte seit Jahren nicht mehr an ihnen gearbeitet. Abends veränderte sich das Bild; es glommen pulsierende Lichter auf, wie sie die luftleeren Röhren der Physiker ausstrahlen. Dieser Anblick rief den Eindruck hervor, als ob das Kabelnetz der Stadt in eine verhängnisvolle Unordnung geraten sei, und als ob hier und dort der Strom in bunten, verschwenderischen Kurzschlüssen aufglühte. Die blauen, roten und grünen Linien löschten die elenden, abgeblätterten Fassaden aus und täuschten leuchtende Portale zu herrlichen Palästen vor. Hinter ihnen eröffneten sich Tanzsäle, Restaurants oder kleine Cafés, in denen eine neuartige, entnervende Musik gespielt wurde. Während tagsüber graue, schäbig gekleidete Massen die Straßen und Plätze durchfluteten, versammelte sich hier ein Publikum von übertriebener Eleganz, und während man an den Vormittagen die Frauen in langen Reihen vor den Bäckerläden warten sah, waren hier die Buffets mit Platten voll Hummern und getrüffeltem Geflügel bestellt.

Das Leben begann erst spät, und an den Nachmittagen waren die Cafés noch fast leer. In einem von ihnen pflegte ich mich mit einem großen, kastanienbraunen Mädchen zu treffen; wir hatten uns während des Einzuges eines der zurückkehrenden Regimenter kennengelernt. Es bestand ein großer Unterschied zwischen dem wirren Fieber, in dem ich mich befand, und der nüchternen Entschiedenheit dieses Mädchens, das einen eigenartigen Vornamen trug, der mir entfallen ist. Das regelmäßige, etwas prüde Gesicht ließ auf eine jener Turnlehrerinnen schließen, deren geheimer Wunsch in einer Sommerreise nach Schweden besteht, und die man in den Leih-Bibliotheken auf gute Romane warten sieht.

Ich vermag mich nicht an unsere Unterhaltungen zu erinnern; sie müssen in zwei sehr verschiedenen Dialekten geführt worden sein. Wie viele der Zurückkehrenden glich ich dem galvanischen Strom, der die Metalle verändert, die er berührt; gleichviel zu welchen Bildern sie geprägt worden sind. Dieser Zustand war freilich besonders geeignet, den uralten Zwist zu schärfen, der zwischen solchen Paaren besteht, und der darum geht, ob der Trank höher zu schätzen sei oder der Becher, aus dem er dargeboten wird. Ich fühlte mich feurig umgetrieben in den Wirbeln des Untergangs; alles Beständige, alles Bewahrte und Behütete war mir zur Last.

Vielleicht aber bestand gerade hierin meine Anziehungskraft, die ich spürte, und deren Wirkung ich ausnutzte, eigensinnig und störrisch wie ein Kind, das unter allen Umständen seinen Launen zu folgen gedenkt. Hinzu kam ein törichtes Vergnügen, das mir die Erprobung dieses Einflusses bereitete — wie es kleine Hypnotiseure empfinden, wenn sie ihren Opfern absurde Aufgaben stellen, durch deren Verrichtung weder ihnen selbst noch sonst jemandem geholfen ist.

So hatte ich auch an diesem Nachmittag alle Quälereien erschöpft, um sie zu bewegen, mit in meine Wohnung zu gehen — und zwar mit methodischer Überredung, die mir weit weniger Mühe, als ihr der Widerstand, bereitete. Aber schon, als ich ihr dann den Mantel zu entreißen suchte, hatte sie sich mir mit allen Anzeichen des Schreckens entzogen wie eine Schlafwandlerin, die zur Besinnung kommt, und gleich darauf war die Tür hinter ihr ins Schloß gefallen. Alle ihre Bewegungen geschahen wie unter starkem Zwang; sie hatten etwas Erstaunliches für mich, als ob ich sie fern von mir eine Rolle spielen sähe, deren Sinn ich nicht recht verstand.

Aber noch mehr erstaunte ich, als ich sie nach etwa einer Viertelstunde wieder schweigend und ohne mich anzusehen, in das Zimmer treten sah. Sie drehte den Schlüssel hinter sich um und begann sich zu entkleiden, ohne ein Wort und mit einer gewissen Wut, die sich in einer Art von Schluchzen äußerte, wenn ein Knopf oder ein Band Widerstand zu leisten schien. Ohne im mindesten auf ihre Deckung bedacht zu sein, trat sie auf mich zu, und wir starrten uns lange an— mit einer gespannten und ohne Zweifel feindlichen Aufmerksamkeit. Ich bemerkte, daß sie mich fest mit dem Blicke erfaßte; dann begann sich der Augenstern zu weiten, und sie sah wie durch einen unbeteiligten Statisten durch mich hindurch.

Es gibt Wort von einer so belanglosen Tiefe oder von einer so tiefen Belanglosigkeit, daß man sich fast schämt, sie zu wiederholen, losgelöst von dem lebendigen Augenblick, mit dem sie verbunden sind. Es schien mir, als ob noch ein dritter, den Vorgang sehr sorgfältig prüfender Beobachter im Zimmer wäre, der plötzlich mit sachlichem Tone bemerkte:

»Du hast Wein getrunken.«

Und ich hörte mich mit einer leisen, zornigen Stimme antworten:

»Was schadet denn das?«

Ich konnte uns in einem alten Spiegel, der etwas schräg hing, deutlich sehen, als zwei durch das niedrige Licht der Ofenglut bestrahlte Gestalten, deren Umrissen der blinde Metallbelag, wie der grünliche Gazeschleier vor einem Puppenspiel, die Illusion der Entfernung verlieh. Und aus großer Entfernung, aus der Entfernung des Traumes, kam es zurück:

»O doch, das schadet. Das schadet — — — sehr viel.«


*Der Oberförster*                                    *Goslar*

Der ungeheure Wald, den ich durchschritt, war mir vertraut und unbekannt zugleich. Er bestand aus regelmäßigen Forsten, die sonntags von Großstädtern wimmelten, dazwischen aber waren Urwaldinseln und unerforschte Gebirgszüge eingesprengt. Ich war in sein Inneres eingedrungen, um den *Oberförster* aufzusuchen, denn ich hatte erfahren, daß er einen Adepten vernichten wollte, der nach der blauen Natter auf Jagd gegangen war.

Ich traf ihn in seinem gotischen Jagdzimmer an, das einer Rüstkammer glich. Alle Wände waren mit Fallen behangen; sie waren ganz unter Fußangeln, Reusen, Netzen, Dohnen und Maulwurfsgalgen versteckt. Von der Decke hing eine Sammlung von listig geflochtenen Schlingen und Knoten herab — ein krauses Alphabet, und jeder Buchstabe war fängisch gestellt. Selbst der Leuchter entsprach dieser Einrichtung: seine Kerzen waren auf die Stacheln eines großen, ringförmigen Tellereisens gesteckt. Es war von der Sorte, die man im Herbst auf einsamen Waldwegen unter dürrem Laub verbirgt, und die bei der leisesten Berührung durch einen Menschenfuß wie ein tödliches Gebiß in Brusthöhe zusammenschnellt. Heute jedoch ragten seine Zähne kaum sichtbar hervor, denn zu Ehren meines Besuches umwand sie ein aus mattgrüner Mistel und roten Vogelbeeren geflochtener Kranz.

Der Oberförster saß hinter einem klobigen Tisch aus rötlichem Erlenholz, das in der Dämmerung phosphorisch erglimmt. Er war damit beschäftigt, kleine, drehbare Spiegelchen zu putzen, mit denen man im Herbst die Lerchen berückt. Nachdem er mir den Gruß erwiesen hatte, gerieten wir gleich in ein lebhaftes Gespräch, das sich auf die Jagdgerechtsame an den Hängen der blauen Natter bezog. Da ich beobachtete, daß er während dieses Gespräches zuweilen unauffällig die Anordnung der Lerchenspiegel veränderte, war ich sehr auf der Hut. Überhaupt benahm er sich recht sonderbar; so beschränkte er sich während langer Abschnitte unseres Streites, anstatt zu antworten, darauf, verschiedenartige Lockflöten aus der Tasche zu ziehen, auf denen er pfiff, fiepte oder blattete. Bei den bedeutsamen Wendungen des Gespräches aber griff er immer wieder auf eine große hölzerne Kukkucksflöte zurück und stieß Töne wie eine Kuckucksuhr hervor. Ich begriff, daß das seine Art zu lachen war.

Wie verwickelt unsere Unterhaltung auch war, so kehrte sie doch stets zu ein und demselben Punkte zurück. Immer wieder betonte er:

»In meinen Wäldern ist die blaue Natter das wichtigste — sie lockt mir das beste Wild ins Revier.«

Und immer wieder versuchte ich vergebens, ihn zu beschwichtigen:

»Aber die Hänge, an denen die blaue Natter lebt, werden doch nie von Menschen besucht.«

Es schien, daß dieser Einwand ihn besonders erheiterte, denn sowie ich ihn vorbrachte, wiederholte er schier endlos seinen närrischen Kuckucksruf. Da Nigromontanus mir das Ohr auch für die ausgestorbenen Figuren der Ironie geschärft hatte, verzichtete ich weislich auf die Replik.

So stritten wir lange in rätselhaften Sätzen, die zuweilen in eine reine Zeichensprache übergingen, hin und her. Endlich brach der Oberförster die Unterhaltung ab:

»Ich sehe wohl, daß Sie mir im hieroglyphischen Dominospiel gewachsen sind. Sie sind seit dem alten Pulverkopf der erste, der ansetzen kann. Aber steigen Sie nur selbst einmal zu den Hängen empor, dann werden Sie ja merken, was da oben im Gange ist!«

Ich machte mich also auf den Weg, geleitet durch die tief im Tann verlorenen Wirbel der Feuerhenne, die zu den Wappentieren der Mauretanier zählt. Bei höchstem Sonnenstand verließ ich den Wald und trat in den heißen, öden Bergkessel ein, dessen Boden ganz von niedrigen Disteln bewachsen war. Sie waren von der stengellosen, wie ein Wetterstern gezackten Art, die man die Eberwurz nennt. Auch Wolfsmilch war spärlich eingemengt. Viele schmale, uralte Pfade zogen sich kreuz und quer durch das Gestrüpp dahin. Sie alle waren durch die blaue Natter versperrt. Als ich die Tiere erblickte, wurde ich sehr vergnügt und dachte: »Da sieht man doch gleich, daß der alte Fuchs auch mit gar zu billigen Mitteln spielt.« Ich schloß das aus dem Umstand, daß ihr Leib zu einem Sperrknoten verschlungen war, dessen Bedeutung nur der übersehen konnte, der in solchen Schlichen noch ein Neuling war. Trotzdem verbarg ich mich hinter einem Busch und lauerte den ganzen Nachmittag, natürlich ohne einen *Menschen* zu sehen.

Gegen Abend erschien eine steinalte Frau, die einen kleinen Spatel in den Händen trug. Sie kauerte sich auf der offenen Fläche nieder und riß mit ihrem Gerät ein Rechteck, ungefähr von der Größe einer Tischplatte, in den Grund. Dann trat sie hinein, hob an jeder Ecke einen Stich Erde aus, besprach ihn und schleuderte ihn über die Schulter davon. Bei jedem Wurf sah ich das Eisen wie ein Spiegelchen aufblitzen.

Da dieser Vorgang mich mit so starker Neugier erfüllte, daß ich die Sperrknoten ganz vergaß, schlich ich mich leise hinter sie und flüsterte ihr zu:

»He, Mütterchen, was machst du denn da?«

Sie wandte sich ohne eine Spur von Überraschung um, gleichsam als ob sie mich erwartet hätte, sah mich an und flüsterte mit einem Kichern, das mir das Blut gerinnen ließ, zurück:

»Söhnchen, das soll dich nichts kümmern — das erfährst du schon früh genug!«

Da leuchtete mir mit entsetzlicher Klarheit ein, daß ich dem Oberförster dennoch ins Garn gegangen war. Und ich begann meiner Klugheit zu fluchen und meinem einsamen Übermut, der mich in solche Gesellschaft verstrickt hatte, denn zu spät sah ich ein, daß alle Feinheit meiner Operationen nur dazu gedient hatte, die Fäden unsichtbar zu machen, mit denen er mich umspann. Ich selbst war ja der Adept gewesen, der Mensch, den er vernichten wollte, ich selbst das Wild, das durch die blaue Natter verlockt worden war!

An Bord, den ersten Tag im Speisesaal. Wie immer um diese Zeit geht die Fahrt an den Malediven entlang, und wie immer entbrennt, sowie der Schwertfisch erscheint, ein Kreuzfeuer von Zutrünken und Anspielungen. Freilich werden die Siegel gewahrt, denn da der Fisch à la Cremonese bereitet ist, muß an Land eine Aufnahme vorgekommen sein. Wirklich flammt am Kapitänstische der rote Tigerlilienstrauß, und hinter ihm späht der Neue hervor, ein kleiner, unangenehmer Bursch mit Schweinsaugen. Die Ballotage muß kaum besucht gewesen sein, daß so einer durchschlüpfen konnte, ohne daß jemand ihm die weiße Kugel gab. Während ich darüber nachdenke, stellt er mir durch einen Stewart, den er ungehöriger Weise im Stechschritt marschieren läßt, ein Zettelchen zu. Er bittet mich um die Ehre der vorläufigen Vorstellung, sein Name sei mir gewiß schon bekannt, er habe auf allen Schiffen der Welt die Rekord-Schraube eingeführt. Ich muß mich also wohl oder übel erheben und einen Trinkspruch auf ihn ausbringen, in den die anderen säuerlich einstimmen. Nun aber wird der kleine Kerl vom Übermut ergriffen, steht auf und beginnt sich zu rühmen, erzählt unter anderem, daß er in Paris eine Inflation angestiftet hat. Zum Beweis zeigt er auf seinen Frack, den die große Rosette der Ehrenlegion ziert, und den er dort für eine Bagatelle erstanden haben will — »und das ist noch ein Frack, für den jeder Schneider das Dreifache verlangt« — dabei dreht er sich um und kehrt uns einen ungeheuerlichen Auswuchs zu. Unser Gelächter feuert ihn an, sich in kleinen, scharwenzelnden Tanzschritten zwischen den Tischen zu bewegen; mitten in einer Drehung schlägt er jedoch hin. Er hat wohl eine Gräte verschluckt, wie das sehr leicht vorkommt, wenn man die Zubereitung à la Cremonese noch nicht kennt. Sogleich erscheint unser Doktorchen, mit dem schwarz-rotschwarzen Bande der Mauretanier unter dem hastig übergeworfenen Operationskittel. Er erfaßt die Lage auf den ersten Blick, denn der Schnitt, den er führt, sieht eher wie ein Schlachtschnitt aus und zieht sich tief über die ganze Länge der Frackbrust hin. Die Gesellschaft sieht dem halb erfreut, halb auch verdrießlich zu, weil ihr der Appetit vergangen ist.

Bei alledem ziehen uns die patentierten Schiffsschrauben mit herrlicher und stets unverminderter Geschwindigkeit dahin.


*Das Beschwerdebuch*                                    *Leipzig*

Träumte, daß ich in einem kleinen, entlegenen Bahnhof, in dem die Fliegen schwirrten, auf Anschluß wartete. Da mich der trübselige Zustand des Wartesaales verdroß, suchte ich meine üble Laune an den Beamten auszulassen; ich stellte sie zur Rede und verlangte großherrlich dies und das. Endlich riefen sie den Bahnhofsvorsteher herbei, der sich devot bei mir entschuldigte und mich bat, doch von einer Eintragung in das Beschwerdebuch abzusehen. Da ich mich auf seine Ausflüchte nicht einlassen wollte, mußte er es schließlich wohl oder übel herbeischaffen, und ich machte mich zu einer bösartigen Epistel bereit. Nun aber traten allerlei Hindernisse ein, die Tinte war ausgestrocknet, ich mußte um einen Federhalter bitten und ähnliches. Die Sache wandelte sich allmählich so, daß die Beamten das Übergewicht bekamen; ich wurde nun von ihnen mit Maßregeln bedroht, mußte Fahrkarten und Ausweise vorzeigen, verpaßte meinen Zug und sah mich in tausend Scherereien versetzt.

Das könnte man noch ausspinnen, etwa in der Weise, daß der Beamte mir das Beschwerdebuch aufzunötigen beginnt und mich endlich zur Eintragung zwingt, aus deren Schriftzügen dann das Unangenehme wie ein Ameisenschwarm erwächst.

Am Nachmittag tat ich den gewohnten Rundgang durch die Treibhäuser, um meine Kritik der Orchideen zu bereichern, der ich die Spielregel zugrunde gelegt habe, daß diese Blumen als Schauspielerinnen zu besprechen sind. Meine Übung besteht darin, sie lange und mit gedankenloser Starre zu betrachten, bis sich gleichsam durch Urzeugung das Wort einstellt, das ihnen angemessen ist.

So habe ich gefunden, daß die Cattleya der Kreolin gleicht, während in der Vanda die höhere Entfernung der Malaiin sichtbar wird. Die Dendrobien sind Zauberlaternen der Heiterkeit, und die Cymbidien Meisterinnen der Geheimschrift, die sich in der Maserung der Hölzer wiederholt. Die schönsten sah ich in Santos im Indigena-Park, doch waren sie dem Auge nicht so nah. Vor allem ladet die Stanhopea zum Verweilen ein — in der, wie in der Tigerlilie, sich das Schöne mit dem Gefährlichen durchdringt.

Während ich mich mit diesen Betrachtungen beschäftigte, wurde eine Schar von blinden Kindern, die sich zu zweien und dreien an den Händen hielten, durch die Treibhäuser geführt. Ich schloß mich ihnen an und bemerkte, daß man ihnen Blumentöpfe in die Hände gab, deren Gewächse sie berochen und betasteten. Die Pflanzen, bei denen sie besonders verweilten, waren für den Sehenden meist unscheinbar, so machten sie sich gegenseitig auf einen neuseeländischen Pseudopanax aufmerksam, der harte und wie Lanzenspitzen gezackte Blätter trägt. Überhaupt fiel mir auf, daß sie in der australischen Abteilung am längsten verweilten, wahrscheinlich weil durch die Trockenheit die Skulptur der Pflanze gewinnt.

Es leuchtet mir auch sogleich ein, daß der Blinde zur Trockenheit eine eigene Beziehung besitzen muß. So nimmt er die Sonne nicht als Licht, sondern als Wärme wahr, so steht er der Plastik näher als der Malerei, so hat das bekannte Bild von Breughel, auf dem die Blinden in das Wasser stürzen als in ein feindliches Element, seine besondere Tiefe, und so ist es wohl auch jenseits der äußeren Anlässe sinnvoll, daß Ägypten das Land der Augenkrankheiten ist.

Am überraschendsten aber war das Verhalten dieser Kinder in der Kakteen-Abteilung; hier brachen sie, wie ihre sehenden Gefährten vor dem Affenkäfig, in ein lautes Gelächter aus. Ihr Lachen erheiterte mich außerordentlich — ich hatte dabei ein ähnliches Gefühl wie jenes, mit dem man am unwegsamen Ort, etwa hoch oben auf einer Mauerzinne, noch Gras und Blumen wachsen sieht.

## *Frutti di mare*                                    *Neapel*

Seit einigen Wochen habe ich mich hier seßhaft gemacht, als dottore pescatore, wie das Volk die in den Räumen des Aquariums arbeitenden Zoologen zu nennen liebt. Es ist ein kühler, klösterlicher Ort, an dem bei Tag und Nacht süßes und salziges Wasser in große, gläserne Becken sprüht, inmitten eines Parkes, der sich am Meer erstreckt. Über den Arbeitstisch hinweg ruht sich das Auge auf dem Castell dell'Ovo aus, das die Staufer als Zwingburg aus dem Wasser errichteten, und weiter hinten, mitten im Golfe lagert, in seiner Form an eine ausgestreckte Weinbergschnecke erinnernd, das schöne Capri, auf dem einst Tiberius mit seinen Spintriern saß.

In Neapel haben viele meiner Lieblinge gelebt, unter ihnen so verschiedene wie Roger, der Normanne, der Abbé Galiani, der König Murat, der seine Orden trug, damit man auf ihn schoß, und mit ihm Fröhlich, der mit seinen »Vierzig Jahren aus dem Leben eines Toten« eine unserer kurzweiligsten Erinnerungen schrieb. Auch der prächtige Burgunder de Brosses und der Chevalier de

Seingalt wissen von ausgesuchten Stunden zu berichten, die sie hier zubrachten.

Meine Aufmerksamkeit ist einem kleinen Tintenfisch gewidmet, der Loligo media heißt, und der mich jeden Morgen von neuem durch die Schönheit seines farbigen Schwanengesanges entzückt, den er aus einer fließenden Skala brauner, gelber, violetter und purpurner Töne kombiniert. Insbesondere liebe ich eine köstliche Art des Erblassens an ihm, eine nervöse Nachlässigkeit, durch die er neue, unerhörte Überraschungen vorzubereiten pflegt. Allzubald fällt diese Pracht dem Tode anheim; sie erlischt gleich flammenden Wolken, die sich im Feuchten auflösen, und nur die tief grüngoldenen Ringe, die die großen Augen emaillieren, leuchten wie Regenbogen nach. Auf so einem spannenlangen Körper spielt das Leben wie auf einem berauschenden Instrumente seine volle Melodie; es überschüttet ihn mit seinem Überflusse und läßt ihn gleich einer grausamen Geliebten im Stich. Nach soviel Glanz bleibt der Überrest wie ein bleicher Schemen zurück, wie die ausgebrannte Hülse eines goldenen Feuerwerks.

Übrigens besitzt dieses Wesen hierzulande, gleich seinem Bruder, dem großen Kalmar, und gleich seinen Vettern, dem langarmigen Octopus und der wie Perlmutter schillernden Sepia, gastronomischen Rang, und ich habe es mir, um jedes mögliche Mittel der Erkenntnis an ihm zu erproben, vorsetzen lassen, nach Art der Feinschmekker geröstet und mit weißem Capri serviert. Es erschien, in eine Platte von zart in Butter gebräunten Ringen verwandelt, neben denen der zehnarmige Kopf wie die geschlossene Blüte einer Seelilie oder wie das Fragment eines mythologischen Figürchens lag. Was ich gleich geahnt hatte, bestätigte sich: die verborgene Harmonie, die allen Eigenschaften eines Wesens innewohnt, wurde auch dem Geschmackssinn offenbar, und ich hätte, selbst mit verbundenen Augen essend, die Herkunft dieses Bissens mit ziemlicher Treffsicherheit in das zoologische System einordnen können. Es war nicht Krebs und nicht Fisch, eher schon Muschel oder Schnecke, was sich da verriet, aber mit einer scharf ausgesprochenen Eigenart begabt, wie sie einem uralten Geschlechte geziemt. Sicherlich darf dieser Geschmack nicht fehlen in der Bouillabaisse, jener dicken Marseiller Suppe, in der die besten Früchte des Mittelmeeres zu einem mit Safran gewürzten Bukett vereinigt sind.

Jeden Nachmittag sammelt ein Diener Zettel ein, auf denen man das *Material* verzeichnet, das man zu sehen wünscht. Hinter diesem trockenen Wort verbirgt sich viel Köstliches, denn es läßt sich hier unter der Maske von lateinischen Art- und Gattungsnamen ausschweifenden Gelüsten frönen; und ich weiß nicht, ob der liebenswürdige Professor Dohrn entzückt sein würde, wenn er dahinterkäme, welch ein Parasit in die Zellen seines wissenschaftlichen Bienenkorbes eingedrungen ist. Die reine Betrachtung des geformten Lebens gewährt einen Genuß, bei dem die Stunden wie Minuten dahinfliegen. Auch dringt der Geist in Gebiete ein, in denen der Überfluß Schrecken erregt; er gleicht einem Reisenden, der sich in Archipelen verliert, aus denen kein Kompaß ihn zurückführen wird.

So besitzt dieses Zettelschreiben einen Reiz, der an die Wunschzettel erinnert, denen die Kinder vor Weihnachten ihre Träume anvertrauen. Der Dampfer der Station ist von vor Tag unterwegs, und in den Vormittagsstunden wird die Beute in Glasgefäßen und flachen Schalen an die Arbeitsplätze gebracht. Mit feinen Gazenetzen ist das im Wasser treibende Leben gefischt, der Grundstoff der Fluten des Golfes, der einer reichen, mächtigen Suppenschüssel gleicht — eine Welt von gläsernen Fäden, Stäbchen und Kügelchen. Schleppnetze haben mit schweren Bügeln die Algenteppiche geschoren und sich prall mit dem Mannigfaltigen gefüllt, das auf diesen farbigen Weiden sich liebt und Jagd aufeinander macht. Und immer ist etwas ganz Besonderes darunter, etwas, das man wie die bunte Spitze am Weihnachtsbaum zum ersten Male sieht — ein scharlachroter Ringelwurm, der sich windet wie ein Drache auf chinesischem Porzellan, ein feinstrahliger, safrangelber Haarstern von gebrechlicher Art, ein durchsichtiges Krebschen, das in einer kleinen Gelatinetonne haust, der Venusgürtel, in dessen Kristallkörper ein grünvioletter Feuerfunke oszilliert oder ein Haifischei, in dem man den atmenden Keimling schlummern sieht wie in einem Kissen aus glasigem Horn.

Was ein südliches Meer an Geheimnissen birgt, das ist für die an blasseren Schimmer gewöhnten Augen des Nordens von unerschöpflichem Reiz. Auch die Farben der Landtiere, etwa der Insekten, nehmen in heißeren Zonen an Reichtum und Mannigfaltigkeit zu; sie werden greller, metallischer, schärfer gegeneinander abgesetzt und herausfordernder. Aber nur das Meer gibt seinen Bewohnern jene spielende Eleganz und Weichheit der Töne, den irisierenden, bewegten Fluß seltener Gläser, die wunderbare Zartheit und Innigkeit des Vergänglichen. Diese Farben sind traumhafter, sie gehören eher der Nacht als dem Tage an; sie bedürfen des dunkelblauen Abgrundes zum Schutz. Zuweilen klingen sie in ihren satten, violetten und dunkelroten Flecken, die sich in ein Fleisch brennen, das feinen weißen, rosa oder gelblichen Porzellanarten gleicht, an gewisse Orchideen, wie die Stanhopea, an — aber auch diese suchen ja die gleichmäßige, dunkelgrün dampfende Nacht der dichtesten Wälder auf. Es hat etwas Wunderbares, daß dieser Glanz gerade die feinsten, feuchtesten Gebilde des Lebens beseelt, und so bricht er denn auch aus dem kostbarsten und gefährdetsten Organ des menschlichen Körpers, aus dem Auge, hervor.

So ein Arbeitsraum, in dem das Leben in vielen Formmen versammelt ist, drängt den Vergleich mit der Werkstatt eines Uhrmachers auf, in der große und kleine Zeiger über hundert bemalte Ziffernblätter gehen. Das Auge erblickt ein ungemein sinnreiches Werk, gleichviel auf welchem seiner Räder es ruht, ob auf dem Schirm der Meduse, der sich im Rhythmus des Atems öffnet und schließt, oder auf dem winzigen Bläschen im Leib eines einzelligen Tieres, das im Takt des Herzschlages pulsiert.

Jedes dieser Pendel, ob es nun lang ausholt oder kurz, schwingt in dem Punkte, der das Zentrum aller Zeiten ist. Daher verleiht es ein Gefühl der Sicherheit, vom Ticken der Lebensuhren umgeben zu sein; und ich teile den Geschmack des Fürsten von Ligne, dieses liebenswerten Ritters und Kriegers von Geblüt, der seine Schlösser, auf deren Firsten Ketten von Tauben rasteten, in weite Lustgärten einbettete, mit von Genisten erfüllten Gebüschen, mit dicht belebten Weideplätzen, mit von Bienen und Schmetterlingen wimmelnden Blumenbeeten und mit Teichen, deren Spiegel unaufhörlich unter dem Aufschlage fetter, schnellender Karpfen erzitterten.

Das heißt auch wahrlich, von den Gleichnissen des Lebens wie von Schildwachen umringt zu sein.


*Der Strandgang*                                    *Berlin*


Strandgang mit Inselbewohnern an einem verlassenen Küstenstrich. Wir entdecken im Körper eines ungeheuren, vom Meere ausgeworfenen Fisches einen Toten, den wir nackt wie einen Neugeborenen aus bräunlichen Fleischmassen ziehen. Ein Mann in blauer Schifferjacke bittet mich um Schweigen und größte Behutsamkeit: »Das ist ein böser Fund. Wissen Sie denn nicht, daß es einer seiner letzten und schrecklichsten Schachzüge ist, sich als Leichnam zu verkleiden und antreiben zu lassen?« Plötzliches Angstgefühl, während der Strand chaotisch und düster wird. Eiliger Rückmarsch durch einen

Eichenwald, an einem strohgedeckten Gehöft vorbei, in dem die *Alte* wohnt. Wir kommen nicht unbemerkt vorüber, denn ihre gezähmten Sperber begleiten uns flatternd im Gebüsch. Geheimnisvoller Zusammenhang, der zwischen den Sperbern und dem Toten besteht. Als wir uns am Waldrande noch einmal flüchtig umwenden, werden wir durch eine Schlachtszene erschreckt, die auf dem Hofe spielt. Vor einem offenen Scheunentor haben Knechte den Körper eines kräftigen Mannes mit den Beinen nach oben ans Spannholz gespreizt; das Fleisch ist unangenehm weiß, bereits gebrüht und rasiert. In einem dampfenden Trog schwimmt der Kopf, dessen Anblick ein großer, schwarzer Vollbart noch beängstigender macht. Der Bart bringt etwas Tierisches hinein; er erweckt ungefähr das Gefühl: Das muß aber ein richtiges, anstrengendes Schlachten gewesen sein, so eins, bei dem an Schnaps nicht gespart werden darf.

Es schließt sich eine schreckliche Verfolgung durch die Alte an, bei der wir uns in Winkelzügen bewegen, während sie uns auf dem kürzesten Wege zu Leibe rückt. Im Mechanismus dieser verwickelten und aufregenden Bewegungen deutet sich der Kampf des Guten, zu dem wir unsere Zuflucht nehmen, gegen das Böse an. Da wir jedoch nicht von Grund auf gut, die Alte dagegen vollkommen böse ist, so müssen wir unterliegen. Der schlimme Zwang drückt sich im dauernden Raumgewinn der Alten aus. Das wachsende Angstgefühl wäscht die Bilder endlich völlig aus dem Gewebe heraus.


*Das Lied der Maschinen*                                    *Berlin*


Gestern, bei einem nächtlichen Spaziergang durch entlegene Straßen des östlichen Viertels, in dem ich wohne, sah ich ein einsames und finsteres Bild. Ein vergittertes Kellerfenster öffnete dem Blick einen Maschinenraum, in dem ohne jede menschliche Wartung ein ungeheures Schwungrad um die Achse pfiff. Während ein warmer, öliger Dunst von innen heraus durch das Fenster trieb, wurde das Ohr durch den prachtvollen Gang einer sicheren, gesteuerten Energie fasziniert, der sich ganz leise wie auf den Sohlen des Panthers des Sinnes bemächtigte, begleitet von einem feinen Knistern, wie es aus dem schwarzen Fell der Katzen springt, und vom pfeifenden Summen des Stahles in der Luft — dies alles ein wenig einschläfernd und sehr aufreizend zugleich. Und hier empfand ich wieder, was man hinter dem Triebwerk des Flugzeugs empfindet, wenn die Faust den Gashebel nach vorne stößt und das schreckliche Gebrüll der Kraft, die der Erde entfliehen will, sich erhebt; oder wenn man nächtlich sich durch zyklopische Landschaften stürzt, während die glühenden Flammenhauben der Hochöfen das Dunkel zerreißen und inmitten der rasenden Bewegung dem Gemüte kein Atom mehr möglich scheint, das nicht in *Arbeit* ist. Hoch über den Wolken und tief im Inneren der funkelnden Schiffe, wenn die Kraft die silbernen Flügel und die eisernen Rippen durchströmt, ergreift uns ein stolzes und schmerzliches Gefühl — das Gefühl, im Ernstfall zu stehen, gleichviel, ob wir in der Luxuskabine wie in einer Perlmutterschale dahintreiben, oder ob unser Auge den Gegner im Fadenkreuz des Visiers erblickt.

Das Bild dieses Ernstfalles ist schwer zu erfassen, weil die Einsamkeit zu seinen Bedingungen gehört, und stärker noch wird es verschleiert durch den kollektiven Charakter unserer Zeit. Und doch besetzt ein jeder heute seinen Posten sans phrase und allein, gleichviel, ob er hinter den Feuern einer Kesselanlage steht oder in die verantwortliche Zone des Denkens einschneidet. Der große Prozeß wird dadurch erhalten, daß der Mensch ihm nicht auszuweichen gedenkt, und daß seine Zeit ihn bereit findet. Was ihm jedoch begegnet, indem er sich stellt, ist schwer zu beschreiben; vielleicht ist es auch wie in den Mysterien nur ein allgemeines Gefühl, etwa daß die Luft allmählich glühender wird. Wenn Nietzsche sich wundert, daß der Arbeiter nicht auswandert, so irrt er insofern, als er die schwächere Lösung für die stärkere hält. Es gehört eben zu den Kennzeichen des Ernstfalles, daß es ein Ausweichen in ihm nicht gibt; der Wille führt vielleicht auf ihn zu, dann aber vollziehen sich die Dinge, wie bei der Geburt oder beim Sterben, unter pressendem Zwang. Da her ist unsere Wirklichkeit denn auch jener Sprache entzogen, mit welcher der *miles gloriosus* sie zu meistern sucht. In einem Vorgange wie dem der Sommeschlacht war der Angriff doch eine Erholung, ein geselliger Akt.

Die stählerne Schlange der Erkenntnis hat Ringe um Ringe und Schuppen um Schuppen angesetzt, und unter den Händen des Menschen hat seine Arbeit sich übermächtigt belebt. Nun dehnt sie als blitzender Lindwurm sich über Länder und Meere aus, den hier fast ein Kind zu zügeln vermag, während dort sein glühender Atem volkreiche Städte zu Asche verbrennt. Und doch gibt es Augenblicke, in denen das Lied der Maschinen, das feine Summen der elektrischen Ströme, das Beben der Turbinen, die in den Katarakten stehen, und die rhythmische Explosion der Motore uns mit einem geheimeren Stolze als mit dem des Sieges ergreift.

*Grausame Bücher* *Berlin*

Die »Philosophie du Boudoir« des Marquis de Sade, seit über hundert Jahren in verbotenen Drucken verbreitet, enthält Dinge, die man sonst als Gegenstand der Feder nicht kennt, wenn man von den Mauerinschriften in unsauberen Winkeln absehen will. Sie entspringt einem Geist, der über seinen Rousseau mit Konsequenz hinausgelesen hat, und zu dessen Prosa die gepuderte und mit

Diavoletti gekörnte der Crébillon, Couvray und Laclos sich verhält wie der Stichdegen des Kavaliers zum breiten Beil des Septembriseurs. In ihr klingt das Geheul des Erdwolfes an, der gierig durch die Kloaken jagt, mit feuchtem, klebrigem Fell und dem unersättlichen Fleischhunger, der endlich Blut säuft und die Abfälle des Lebens frißt. Jeder Trunk aus den roten Bechern ist wie Meerwasser, das den Durst immer rasender macht.

Dem entspricht die Art, in der die Feder gehandhabt wird. So die Trennung der Worte und Satzfetzen durch Gedankenstriche, die die Sprache des Atems beraubt und sie in ein Röcheln und Stöhnen zerreißt. So das endlose Aneinanderreihen synonymer Worte für Handlungen und Gegenstände, die dadurch immer sinnfälliger und gieriger ertastet werden sollen — die Sprache bohrt sich mit glühenden Stacheln ins Fleisch. So die Anführungsstriche, durch die jedes beliebige Wort zur Zote »gestempelt« wird — die Voraussetzung eines verruchten Einverständnisses des Lesers mit dem Autor ist absolut. So eine Manier, die unverhüllte Brutalität der Ausführungen durch gezierte Wendungen zu unterbrechen, um den Stellen des wildesten Handgemenges durch ein unerwartet abgebranntes Blitzlicht der Prüderie den letzten Grad der Sichtbarkeit zu verleihen.

Das Ganze liest sich beängstigend, und zwar weniger wegen der Schrecknisse als wegen der vollkommenen Sicherheit, mit welcher der Geheimvertrag, der zwischen den Menschen besteht, durchbrochen wird. Der Eindruck ist etwa so, als wenn jemand im Zimmer die Stimme erheben würde: »Da wir nun unter uns Tieren zusammen sind — — —«

Ein aufschlußreiches Zwischenstück hat sich erhalten in Form des fast verschollenen Romanes »Gevatter Matthieu oder die Ausschweifungen des menschlichen Geistes« von Dulaurens, der als Verfasser atheistischer Bücher im Gefängnis endete. Hier tritt der Pater Johann auf, in dem die Tugend Rousseaus bereits sehr deutlich jenen Bestialismus abspaltet, der als eine ihrer Grundqualitäten in ihr verborgen ist. Dem ist die voltairische Helle entgegengesetzt.

Rein betrachtend und von den niederen Ausstrahlungen des Willens entfernt ist die Grausamkeit in den »Jardins des Supplices« von Octave Mirbeau. Sie erhöht die Leuchtkraft der farbigen Welt wie ein dunkler Stoff, der seidene Blumen trägt. Wer in diesen herrlichen Gärten wandelt, kommt an Aussichtspunkten vorüber, an denen chinesische Foltermeister beschäftigt sind, und der Anblick der Qualen erweckt im Herzen ein Lebensgefühl von unbekannter Kraft. Die Farben und Klänge rufen tiefe und wollüstige Empfindungen hervor, insbesondere strömen die Blumen überirdische Wohlgerüche aus. Der geistige Prozeß, den der Autor vollführt, ist polarisierender Art: Lust und Qual, sonst mehr oder weniger fein verteilt, strömen zwei entgegengesetzten Punkten zu, und während das Abbild des Menschen sich hier im Staube windet, schreitet es dort wie in einem höheren Leben dahin.

Es ist wahrscheinlich, daß im römischen Zirkus, neben der blinden Wut der Massen, bei den Gebildeten ein ähnliches Gefühl lebendig war — jene stolze Erhöhung, die der Mensch empfindet, wenn das Auge in den Blickpunkt des Schicksals rückt. Daß dabei doch das Bewußtsein eines niederen, dämonischen Genusses vorhanden war, lehrt die Tatsache, daß die Götterbilder verhüllt wurden.

Zuweilen begegnet man auch in unseren Städten Naturen, von denen man die Vorstellung gewinnt, daß sie sich an den Qualen anderer *weiden* könnten, und man wird immer beobachten, daß es sich dabei um gebundene Geister handelt, sei es um den wie im Zwinger dahindämmernden Pöbel oder um Menschen von asiatischer Lebensart, denen gern etwas von der unangenehmen Verweichlichung der Dampfbäder anhaftet. Sowie die Ordnung zu wanken beginnt, insbesondere während der Zäsur zwischen zwei historischen Abschnitten, treten solche Kräfte aus ihren Kellern und Winkeln oder auch aus der Zone ihrer privaten Ausschweifungen hervor. Ihr Ziel ist die mehr oder minder intelligente, stets aber nach dem Muster des Tierreiches gebildete Despotie. Daher pflegen sie auch in ihren Reden und Schriften den Opfern, nach deren Vernichtung sie trachten, tierische Züge zu verleihen.

Diesen verzehrenden Trieben ist eine Haltung entgegengesetzt, die man am besten als das Wohlwollen kennzeichnet, und die den Mächtigen wie den Einfachen in gleicher Weise ziert. Dieses Wohlwollen gleicht einem Licht, in dem allein die Würde des Menschen in rechter Weise erscheint. Es ist eng verbunden mit dem Herrschenden und Vornehmen in uns, aber auch mit unserer freien und bildenden Kraft. Auch reicht es in ferne Zeiten zurück; es schmückt die homerischen Helden nicht minder als das uralte, auf offenem Markte rechtsprechende Königtum. Hier vertritt es die geistige und auf guten Ursprung gegründete Seite der Macht, die sich nicht durch den Purpurmantel symbolisiert, sondern durch den Stab aus Elfenbein.

Wo dieser freie und lichte Abstand zwischen den Menschen besteht, wie ihn das rechte Gesetz verbürgt, da wachsen auch die Bilder und Formen mühelos empor. Es gibt ein günstigstes Klima, in dem die Gesittung vor allem gedeiht; und in solcher Verfassung haben kleine Städte an der Geschichte unseres Planeten höheren Anteil gewonnen als weite Reiche, in denen ungezählte Millionen dahinlebten. So treibt auch ein winziger Garten leicht eine reichere Ernte als eine unermeßliche Wüste hervor.

Es ist ein schönes Zeichen für uns, daß unsere Erinnerung die Geschichte nach diesen Sternen erster Ordnung orientiert. Freilich gleichen wir darin den Astronomen, die auf das Sichtbare angewiesen sind, denn wie nur ein großes Licht die unendlichen Entfernungen, so durchdringt auch nur ein hohes Bewußtsein die Nebelbänke der Zeit. Aber es gibt einen Grad der Helle, der die dämpfende Wirkung der Jahrhunderte bezwingt — so ist uns das Athen des Perikles sichtbarer als das uns doch um tausend Jahre näherliegende mittelalterliche Athen, zu dessen Geschichte Gregorovius die kärglichen Bruchstücke sammelte.

Immer aber bleibt es erstaunlich, daß Muster und Vorbilder sich über Jahrtausende hinweg leuchtend erhielten, wenn man bedenkt, mit welcher Macht das Wüste und Ungestalte sich wieder und wieder hervordrängte. In diesem Sinne ist die Odyssee der große Gesang der klaren Vernunft, das Lied des menschlichen Geistes, dessen Weg durch eine von elementaren Schrecken und grausamen Ungeheuern erfüllte Welt, ja selbst gegen göttlichen Widerstand zum Ziele führt.


*Aus den Strandstücken, 2* *Zinnnowitz*


Im dichten Gestrüpp hinter der Düne, inmitten üppiger Schilfgürtel, erbeutete ich auf meinem gewöhnlichen Gange ein glückliches Bild: das große Blatt einer Zitterpappel, in das ein kreisrundes Loch gebrochen war. Vom Rande dieses Ausschnittes schien ein dunkelgrüner Fransensaum herabzuhängen, der sich bei näherer Betrachtung als ein aus einer Reihe von winzigen Raupen bestehendes Gebilde entpuppte, die sich mit ihren Kiefern an das Blattmark klammerten. Es mußte hier vor kurzem ein Schmetterlingsgelege ausgekrochen sein; die junge Brut hatte sich wie ein Feuerbrand auf ihrem Nährboden ausgedehnt.

Das Seltene dieses Anblickes bestand in der Schmerzlosigkeit der Zerstörung, die er vorspiegelte. So machten die Fransen den Eindruck herabhängender Fasern des

Blattes selbst, dem gar nichts an Substanz verlorengegangen schien. Hier war so augenscheinlich, wie die doppelte Buchführung des Lebens sich abgleicht; ich mußte an den Trost Condés denken, den er dem über die sechstausend Gefallenen der Schlacht bei Freiburg weinenden Mazarin spendete: »Bah, eine einzige Nacht in Paris gibt mehr Menschen das Leben, als diese Aktion gekostet hat.«

Diese Haltung der Schlachtenführer, die hinter der Verbrennung die Veränderung sieht, hat mich von jeher ergriffen, als Zeichen hoher Lebensgesundheit, die den blutigen Schnitt nicht scheut. So empfinde ich Vergnügen bei dem Gedanken an das für Chateaubriand so ärgerliche Wort von der consumption forte, vom starken Verzehr, das Napoleon zuweilen in jenen für den Feldherrn untätigen Augenblicken der Schlacht zu murmeln pflegte, in denen alle Reserven auf dem Marsche sind, während die Front unter dem Angriff von Reitergeschwadern und dem Beschuß der vorgezogenen Artillerie wie unter einer Brandung von Stahl und Feuer zerschmilzt. Das sind Worte, die man nicht missen möchte, Fetzen von Selbstgesprächen an Schmelzöfen, die glühen und zittern, während im rauchenden Blute der Geist in die Essenz eines neuen Jahrhunderts überdestilliert.

Dieser Sprache liegt Vertrauen auf das Leben zugrunde, das leere Räume nicht kennt. Der Anblick seiner Fülle läßt uns das geheime Zeichen des Schmerzes vergessen, das die beiden Seiten der Gleichung trennt — wie hier die nagende Arbeit der Kiefern Raupe und Blatt.

*Liebe und Wiederkunft*                    *Leisnig*

Ich landete als Offizier mit einer Mannschaft von Schiffbrüchigen auf einer Insel des Atlantischen Ozeans.

Wir waren alle sehr krank und wurden in den Holzhütten eines kleinen, zwischen den steinernen Trümmern

einer zerstörten Stadt erbauten Fischerdorfes untergebracht und der Pflege einer Nonne anvertraut. Zu den
Leiden, die uns der Skorbut und die Entkräftung verur-
sachten, gesellte sich noch die Gefährdung durch eine
narkotische, in der Dämmerung aufblühende Pflanze, die
auf der Insel wuchs. Ihren gelben, phosphorischen Kern
umringte ein Kreis von rötlich aufglühenden Scheinblü-
ten, und durch ihren Anblick fühlte man sich zum Essen
verführt. Wer jedoch von ihr gekostet hatte, fiel in einen
Schlaf, aus dem er nicht mehr zu erwecken war.

In einem langen, niedrigen Schuppen, in dem Netze
zum Trocknen hingen, hatten wir eine Reihe solcher To-
desschläfer nebeneinandergelegt. Sie fieberten und atme-
ten schwer, man sah wechselnde Träume über ihre Gesichter huschen. Die Nonne bemühte sich, sie bequem zu
betten und ihnen Suppen einzuflößen, und ich half ihr
dabei. Durch die Gemeinsamkeit dieser traurigen Arbeit
traten wir uns sehr nahe; ich wurde von ihr in mancherlei
Geheimnisse der Insel eingeweiht und mit kleinen Gegenständen, die von gescheiterten Schiffen an den Strand getrieben waren, beschenkt.

Im Laufe der Zeit glaubte ich immer deutlicher zu erkennen, daß ich mit der Nonne und der Insel durch sehr
alte Beziehungen verbunden war. In den kurzen Pausen,
welche die Arbeit mir ließ, sann ich gern darüber nach;
aufmerksam, aber ohne Leidenschaft, wie über die Seiten
eines Buches, das man auf Freiwache liest. Eines Abends,
als wir wieder den ganzen Tag gepflegt hatten, ging ich
auf der kleinen Strandwiese vor den Hütten, um Luft zu
schöpfen, auf und ab. Lebhafter noch glomm in mir das
Gefühl des Zusammenhanges auf, gleich einer Melodie,
die dem Geiste entfallen ist und sich doch in ihm bewegt.
Da sah ich die Blütensterne der berauschenden Pflanze
aufglühen, und obwohl ich die Gefahr erkannte, überfiel
mich die tödliche Neugier der Erinnerung, und so brach
ich davon und aß.

Im Augenblick wurde ich in einen magnetischen Schlaf versenkt. Die gleiche Zeit, die uns ins Leben ausstößt, sog mich zurück, und ich wurde in einen anderen Zustand versetzt. Wieder befand ich mich auf dieser Insel, auf der jetzt statt der Hütten ein steinernes Städtchen stand. In seinem Stil glaubte ich eine Art früher Gotik zu erkennen, die jedoch durch eine lange, abgeschlossene Entwicklung in phantastischer Weise abgelenkt war. Die Spitzbögen hatten sich zu schmalen Schießscharten verengt. die von Skulpturen fabelhafter Meerwesen umringt waren. Auch schien es mir, daß in die musterbildende Wirkung, die der Raute zugeschrieben wird, hier der Seetang eingetreten war. So zogen sich die Fenster der großen Hauptkirche als ein Geflecht von dunkelgrünen Bändern durch die Mauern aus weißem Korallenkalk. Ihr Licht erfüllte das Innere mit einem kühlen, submarinen Glanz, in dem, wie von versunkenen Schätzen, das Gold zahlloser Votivbilder leuchtete. Die Wände waren ganz von den Namenstafeln und Gallionsfiguren geplünderter Schiffe bedeckt. Dazwischen waren Gemälde von brennenden oder sinkenden Seglern verstreut, auf deren Decks sich die letzte Phase schrecklicher Gemetzel vollendete, niemals ohne die helfende und rettende Gegenwart der heiligen Jungfrau vom Meer, deren liebliche, von Wolken oder St. Elmsfeuern umschwebte Vision hoch über den Masten gebildet war.

Die Insel war nun von einem christlichen Seeräubervolke bewohnt, das zuweilen, um Beute zu machen, weit entfernte Meeresgründe aufsuchte. Ich befand mich als Gast unter diesen, auf ihrer Insel sehr zugänglichen Menschen und wohnte im Hause des obersten Kapitäns. Es herrschte große Aufregung in der Stadt, da immer genauere Nachrichten bestätigten, daß das bisher unbekannte Eiland als Piratennest entdeckt, und eine mächtige spanische Flotte im Ansegeln war.

Ich nahm keinen Anteil an den Vorbereitungen zur

Verteidigung, die ringsum getroffen wurden, sondern saß in einem mit Waffen geschmückten Zimmer und unterhielt mich mit der Tochter des Kapitäns. Wir sprachen hastig und aufgeregt, denn wir fühlten, daß die Zeit brannte, und daß wir uns noch sehr viel zu sagen hatten.

Sie beschwor mich immer wieder, mich dem nahen Kampfe zu entziehen. Ich dagegen war entschlossen, das Schicksal der Ihren zu teilen, und das um so mehr, als ich fühlte, daß gerade die Gefahr mich ihres Besitzes am stärksten versicherte. Wir sprachen noch hin und her, als ihr Bruder blutend hereinstürzte: »Die Spanier sind in der Stadt!« Im selben Augenblick fiel durch die Fenster Feuerschein, dessen roter Glanz mich wie ein Abschiedstrunk zugleich betrübte und tief erheiterte. Ich ergriff eine Radschloßbüchse, die in der Ecke stand, und lief hinaus. Schon schlugen die Flammen aus dem großen, wie eine Strandmuschel gewundenen Turm. Auch kamen Scharen von Piraten, hinter denen die Spanier saßen, vom Hafen herauf.

Ich legte mich auf einen schmalen Wiesenstreifen, spannte mein Gewehr und brachte einen der Verfolger zu Fall. Seine Begleiter blieben stehen und schossen auf mich; ich sah das Feuer und den weißen Dampf, der aus den Mündungen quoll, dann fühlte ich die Geschosse in meinen Körper einschlagen.

Ich blieb liegen und verlor eine Menge Blut. Da sah ich, wie neben mir die wunderbare Blume ihre Krone entfaltet. Ich brach sie ab, saß von den Blüten und schlief ein. Im letzten Schimmer des Lichtes ahnte ich noch: Ich würde unzählige Male leben, demselben Mädchen begegnen, dieselbe Blume essen und daran zugrunde gehen, ebenso wie dies bereits unzählige Male geschehen war.

Wir haben Gründe, mit der roten Farbe behutsam umzugehen. Sie tritt im gleitenden Strome des Lebens spärlich hervor, aber erglüht in seinen Spannungen. Sie deutet das Verborgene und das zu Verbergende oder zu Hütende an, insbesondere das Feuer, das Geschlecht und das Blut. Wo das Rot daher plötzlich erscheint, ruft es ein Gefühl der Betroffenheit hervor wie die roten Fähnchen, mit denen man die Wege zu Steinbrüchen oder Schießplätzen versperrt. Überhaupt bezeichnet es die Nähe der Gefahr, so sind die Schluß- und Warnungslichter unserer Fahrzeuge rot. Besonders gilt das für Feuersgefahr; rot bemalt sind die Feuermelder und Hydranten, ebenso die Wagen, in denen man entzündliche Flüssigkeiten oder Sprengmittel verschickt. Mit dem wachsenden Bedarf an Brenn- und Treibstoffen überzieht sich die Welt mit einem Netz von flammend roten Kiosken — schon dieser Anblick allein würde einen Fremdling belehren, daß er sich in explosiven Landschaften befindet, in einem Zeitalter, in dem Uranos zu herrschen beginnt.

Das seltsame Doppelspiel, das die Welt der Symbole belebt, bringt es mit sich, daß diese Farbe zugleich drohend und anreizend wirkt. Sehr schön kommt ihre Geltung in den roten Beeren zum Ausdruck, mit denen der Jäger die Sprenkel und Dohnen besteckt. Bei cholerischen Tieren wie dem Truthahn oder dem Stier tritt die Berückung in ihrer zwingendsten Form, der Blendung, hervor. Auch gibt es ein menschliches Temperament, das durch ein brennendes Rot, etwa gewisser Tulpen-Arten, bis zum Schwindel ergriffen wird.

Diese vordringliche, anziehende Wirkung der roten Farbe läßt sie besonders geeignet erscheinen zur Bezeichnung von Dingen, denen der erste Zugriff zu gelten hat. Meist wird auch hier das Gefährliche einspielen, wie bei den Verbandkästen, den Rettungsringen oder den Notbremsen. Zuweilen handelt es sich auch um die abstrakte Beschleunigung, wie bei den roten Zettelchen, mit denen die Post die Eilbriefe beklebt.

Sehr deutlich tritt der zugleich drohende und werbende Charakter dort hervor, wo diese Farbe in die geschlechtlichen Beziehungen einschneidet. Hier gibt es eine beklemmende Skala vom düster glimmenden, fast auf den Tastsinn gestimmten Licht, das den Flur eines verrufenen Hauses erhellt, bis zur grellen, unverschämten Fleischfarbe der Läufer und Vorhänge in den Aufgängen der großen Spiel- und Lusthöllen.

Im Lippenrot, an den Nüstern und Fingernägeln enthüllt sich die Farbe der inneren Haut. Auch das Futter der Kleider denken wir uns rot, und wir lieben es, daß diese Grundfarbe hervorleuchtet, wo der äußere Stoff geschlitzt, oder wo er umgeschlagen ist. Das ist der Sinn der roten Aufschläge, Krempen, Kragen, Biesen und Knopflöcher, aller roten Dessous; auch das Innere der Betten unter den Bezügen ist rot. Diese Vorstellung dehnt sich auch auf das Innere der Räume und Häuser aus, und zwar mit einer besonderen Beziehung zur Pracht, so tritt man in Prunksäle durch rote Vorhänge ein und schiebt bei Empfängen rote Teppiche bis zur Auffahrt vor. Gern schlägt man das Innere von Etuis und Futteralen, in denen man Geschmeide aufbewahrt, mit roter Seide aus.

Unter den anderen Farben vermehrt das Gelbe die vom Roten ausstrahlende Unruhe; die rot und gelbe Musterung ruft unbehagliche, flammende Empfindungen hervor. Bösartiger noch wirkt das Rot in Verbindung mit Schwarz, während es durch die grüne Farbe am meisten gemildert wird. Ein grüner Grund vermag es sogar aufzuheitern, wie der grüne Rasen das rote Tuch der Jagdröcke, obwohl auch hier die Verbindung zum Blut nicht fehlt. Dämpfend wirkt auch das Grau, aber stark tritt die Blutseite durch den Gegensatz zum Weißen hervor, etwa im Verhältnis von Schminke und Puder, von Wunde und Verband, von Blut und Schnee. Das prunkhaft Mächtige wird durch Verbindungen mit dem Golde betont. Zugesetzt führt das Weiße dem Lieblichen, das Schwarze dem Stolzen und Schwermütigen zu. Den reinen Scharlachtönen haftet eine sanguinische Leere an; sie legen dem Gemüt, wie der Anblick von Feuerwerken und Wasserfällen, die Fessel der Bewegung auf. Merkwürdig ist das Bestreben, schwarze Blüten zu ziehen, aus denen die letzte Spur von Rot durch Züchtung herausdestilliert werden soll. Das ist der Stein der Weisen in der Gärtnerei, und in der Tat muß jede Art der Wissenschaft dem Roten abhold sein.

Auf jeden Fall geht man ein Wagnis ein, wenn man die rote Farbe trägt, und man pflegt sie daher meist so zu zeigen, als ob sie durch Unordnung sichtbar geworden sei, durch Öffnungen und Risse hindurch oder als verschobener Saum. Wer sie in großen und offenen Flächen trägt, befindet sich im Besitze tödlicher Macht, so die obersten Richter, die Fürsten und Feldherren, aber auch der Henker, dem das Opfer überliefert wird. Ihm ist der schwarze Mantel angemessen, dessen rotes Futter nur im Augenblick des Streiches sichtbar wird.

Die rote Fahne des Aufruhrs deutet die innere Seite oder den elementaren Stoff der Ordnung an. Sie ist daher kein eigentliches Abzeichen, sondern tritt mit dem Feuer der Brände und dem vergossenen Blut an jeder Stelle hervor, an der die gewobene Hülle zerreißt. Zuweilen quillt der rote Urstoff wie aus geheimen Brunnen oder aus Kratern hervor, und es scheint, daß er die Welt zu überfluten gedenkt. Dann aber tritt er, sich selbst verzehrend, wieder zurück und bleibt nur in der cäsarischen Toga bestehen.

In Rio de Janeiro kam ich inzwischen an einem Garten vorbei, wo in durchsichtige Seide gehüllte Kurtisanen sich auf einer Terrasse zur Schau stellten. Seine vergitterten Tore waren von herkulischen, rot livrierten Negern bewacht, und ein glühender Teppich schob sich durch eine Palmenallee bis auf die Straße vor. Dieser Triumph der Lust als einer gewaltigen Lebensmacht wirkte um so stärker, als sich sein Schauplatz inmitten eines bevölkerten Elendsviertels erhob. So unverhüllt werden bei uns in Europa nur die Kanonen gezeigt.

Daß die Wirkung der roten Farbe durch das Grün am besten gemildert wird, beruht neben vielen anderen Gründen wohl auch darauf, daß hier ein Ausgleich zwischen der gemäßigten und der heißen Lebensfarbe stattfindet. Grün ist die Farbe der Pflanzenwelt, in der das Leben in ruhigeren Kreisläufen wirkt. Nur in den Geschlechtsträgern, wie in den Blüten und Früchten, dann auch in den Keimen, drängt das Rote stärker hervor. Wo sich Grün und Rot in Massen durchdringen, kann sich, wie in blühenden Rosengärten, das Gefühl eines leichteren und stolzeren Daseins einstellen. So wird von der herrlich erheiternden Leuchtkraft chinesischer Parke berichtet, die von Alleen aus gepulvertem Ziegelmehl durchzogen sind. Unübertrefflich ist die Verteilung von Rot und Grün in den dunklen Pfingstrosen.

Damit das Rot in seiner höchsten Qualität sichtbar werde, bedarf es jedoch des Blauen als Hintergrund. Das wird einleuchten, wenn man einen kleinen roten Gegenstand auf einer blauen Fläche erblickt.


*An der Abzucht*     *Goslar*

Goslar wird von der Gose durchflossen, einem schmalen Gewässer, das am Frankenberger Plane in die Stadt einschneidet und sie durch das große Wasserloch der Stadtmauer wieder verläßt. Diese schwache Stelle wurde früher durch die Wasserburg gedeckt, ein Gebäude, das zu den unbekannten Schätzen dieser Stadt gehört, und das sich sehr gut erhalten hat.

Innerhalb der Mauern wird die Gose seit alten Zeiten die Abzucht genannt; dieser Name kam mir als Bezeichnung der verbrauchten und abziehenden Wässer sehr sinnreich vor. Wie ich erfahre, führt er sich jedoch über Agetocht auf das lateinische Aquaeductus zurück, das mir weniger angemessen erscheint. Es ist dies ein schönes Beispiel dafür, wie die Volkssprache ein Fremdwort verdaut.

Bei meinem täglichen Gang um den Wall biege ich häufig in den Kanal der Wasserburg ein und gehe längs der Abzucht zurück. Friedrich Georg, der mich heute begleitete, machte mich auf ein vom Wasser überströmtes Gebilde aufmerksam, das wir zunächst für eines jener Stoffspielzeuge hielten, wie man sie für Kinder anfertigt. Bei näherer Betrachtung entdeckten wir jedoch, daß es sich um ein winziges Lämmchen handelte, an dem noch die Nabelschnur zu sehen war. Das Gebilde, das uns auf den ersten, flüchtigen Blick ergötzt hatte, wurde uns sogleich zuwider, besonders als wir immer deutlicher erkannten, daß es sich eigentlich nur noch um die letzte Nachbildung einer lebendigen Form handelte, und zwar um eine Nachbildung aus höchst feinen Schlammflöckchen, die in der Strömung zitterten.

Die Entdeckung, daß sich uns eine Erscheinung, wie in diesem Falle die des Lieblichen, nur vorspiegelt, und daß sich im Grunde das Nichts hinter ihr verbirgt, ist mir nicht neu, und doch hat sie immer etwas sehr Beunruhigendes. So blickt man zuweilen in Augen, die nur aus trübem, gefrorenem Schlamm bestehen, und in denen sich der höchste Grad menschlicher Abgestorbenheit verrät. Es gibt heute eine neue Art des Schreckens, ähnlich

als ob man auf eine verborgene Wasserleiche stößt —
Begegnungen, in denen eine ganz bestimmte theologische
Lage sich andeutet, und denen gegenüber der Mensch des
längst vergessenen Schutzes strenger Reinigungsvor-
schriften bedürftig wird.

Der umgekehrte Fall dagegen, in dem das Tote sich
als lebend offenbart, hat etwas sehr Erheiterndes. Man
meint etwa, ein Stück verschimmeltes Holz zu erblicken,
und gleich darauf fliegt eine große Heuschrecke davon,
indem sie unter ihren grauen Deckflügeln ein zweites,
leuchtendes Flügelpaar enthüllt.

*Fortunas Unkraut*                                      *Leipzig*

Mitten in einer einsamen Landschaft saß ich mit einem
Unbekannten beim Kartenspiel. Der Tisch stand auf dem
Grunde einer eingesunkenen Grube, einer Art von Do-
line, deren obere Wände schwarze Kohlenstreifen bän-
derten. Ich war im Begriff, eine große Summe zu setzen
— da schoß mir der Gedanke durch den Kopf: Der Kerl
spielt vielleicht kein ehrliches Spiel. Dann sagte ich mir
wiederum: Dieser Spieltisch muß, bevor er auf den
Grund der Grube gesunken ist, so lange gebraucht haben,
daß unendlich viele Spiele auf seinem Tuche ausgetragen
sind. Wenn der Kumpan also nicht ehrlich spielte, so
müßte es längst einmal herausgekommen sein. Und Geld
muß er auch besitzen, denn warum sollte es gerade, wenn
er mit dir hier spielt, zu Ende sein?

Diese Überlegung, die noch weit verwickelter war —
so zog sie unter anderem das Alter der Gesteinsschichten
in der Grube zu Rate und rollte gleichsam die Geologie
für ihre Schlüsse auf — blitzte auf wie ein Licht und
schloß ebenso schnell ab. Das Ungewisse und Unwahr-
scheinliche trat ganz zurück, dafür war das Bewußtsein
der Überlegenheit stark ausgeprägt.

Durch solche Bilder leuchtet uns zuweilen ein, daß es eine besondere Art, vielleicht eine Kurzschrift des Denkens gibt, die das Element der Ähnlichkeiten und Anklänge im Grunde erfaßt und spielend beherrscht. Da genügt uns der Klang eines Wortes, eine unbekannte Sprache zu verstehen. In die harmonische Ordnung einbezogen, wandelt sich uns der erstbeste Gegenstand, den wir erblicken, zum Universalschlüssel um.

Dies, und nichts anderes, begründet auch den eigentlichen Reiz aller Glücksspiele. Die rote Serie gibt dem Spieler mehr als Geld; sie schenkt ihm jenen Glauben, dessen wir im Innersten bedürfen — nämlich mit der Welt verschworen, mit ihr im Einverständnis zu sein. Wenn die Kugel für uns rollt, das Blatt sich für uns wendet, kosten wir einen erlesenen Genuß — den Genuß einer geheimsten, materiellen Intelligenz. In der Tat ist das Glück nichts anderes als die Elementarform der Intelligenz — im Glück denken die Dinge, denkt die Welt für uns mit.

Hierauf beruht die merkwürdige Tatsache, daß wir einen Gegner, der über uns durch Glück triumphiert, mit tieferem Grolle betrachten als den, der uns durch geistige Überlegenheit, etwa im Gespräch oder am Schachbrett, widerlegt. Gegen den Sieger im Wettkampf erheben wir beim Mahle heiter das Glas, aber der Ring der Fortuna trennt uns bitterer als der Kranz des Apoll. Alle Leute von Geist sind Brüder, aber der Unglückliche ist des Glücklichen Stiefbruder. Der empfindet sein Mißgeschick stärker, der sieht, was die Welt ihren Lieblingen zu spenden vermag. Ähnlich verhält es sich beim Tanz, wo die bloße Gegenwart eines vortrefflichen Tänzers den Ungeschickten peinigt und seine Schwerfälligkeit erhöht — ihn ergreift das Gefühl, daß alle Welt über ihn lacht, und daß jeder Gegenstand ihm die Spitzen und Kanten weist. Der Glückliche aber ist wie ein Tänzer, dessen Schritte dem großen Weltkonzerte angemessen sind. Er gleicht den Figuren der Oper; seine Gesten, seine Worte, seine Wendungen werden durch ein geheimes Orchester geordnet und geführt — seine Intelligenz besteht darin, daß er eine höhere Vernunft für sich denken läßt.

Daher führt der Spieler den Verlust mit Recht auf Störungen der harmonischen Konstellation zurück. Abweisend kann schon der Wechsel des gewohnten Platzes oder der Eintritt eines unangenehmen Menschen sein. In solcher Lage führt der Versuch, das Glück durch Überlegung oder systematischen Einsatz zur Rückkehr zu zwingen, zum schnellen Ruin. Eher darf man sich schon auf den Talisman verlassen, dessen sich ein Träger als eines Zauberkompasses bedient, der ihn auf die rechte Weisung wieder einschwingen soll. Bereits in der Wahrnehmung des Mißgeschickes spricht sich der Verlust des Einverständnisses aus, und nicht durch Anstrengung stellt sich der Einklang wieder her. Dazu müßte man schon die Lage jener Staubkörner kennen, von denen Napoleon sagte, daß eines genüge, ihn aus der Bahn zu werfen, wenn sein Stern erloschen sei.

Lehrreich sind die Lebensläufe, bei denen das Glück sich zurückwendet und wiederholt; der Mensch schwingt sich immer wieder in das Universum ein. Diese Wendungen sind im Leben des Spielers nichts Seltenes, aber auch bei Fürsten und Soldaten zu beobachten. Immerhin erlauben solche Kurven in einer Welt, in der oft schon ein einziger Fehltritt zum Verderben genügt, den Rückschluß auf eine stark ausgeprägte rhythmische Intelligenz. Dergleichen wird in den Fingerspitzen gefühlt, und in der Tat wird man häufig wahrnehmen, daß feine, wohlgebildete Hände auf einen glücklichen Zustand hinweisen. Es gibt eine Wissenschaft des günstigen Augenblickes; wer hier Einblick gwinnen will, benutze Casanovas Kompendium. Diese Lektüre wiegt die Scharteken von hundert Schulfüchsen auf; ihre ungemeine Bedeutung liegt darin, daß sie uns an einer fast verschollenen Musikalität des

Lebens teilnehmen läßt. Alle Bemühung wiegt nicht die Erleichterung auf, die ein Zeitalter als solches gewährt, indem es ein jedes Schifflein auf seinem Rücken trägt. Der Mensch erwacht eines Morgens wie in einem Hause, in dem vom Keller bis zu den Böden alles singt und schwingt. In solchen Räumen bilden und prägen sich die Formen von selbst, wie mit magnetischer Kraft, kaum daß man sie mit dem Finger berührt.

Zuweilen habe ich das Gefühl, als ob das Füllhorn sich wieder ein wenig gegen uns zu neigen beginnt, obwohl keiner der Lebenden seine Gaben genießen wird. Noch hält unser Denken die Erde zu gründlich bestellt, als daß für das köstliche Unkraut Fortunas ein Krümchen zurückbliebe.

## Zum Raskolnikow                                  *Goslar*

Am Raskolnikow, den ich eben aus der Hand lege, wurde mir eine der Nebenfiguren deutlicher, und zwar die des Luschin, der als eine Art Insekt geschildert wird, das an den menschlichen Beziehungen Anteil nimmt. Am widrigsten ist dabei, daß dieses Insekt nach anerkannten Mustern verfährt; es operiert nach den Regeln des gesunden Menschenverstandes und verfügt über eine genaue Kenntnis des Rechten und Billigen. So ergeben sich Lagen, in denen es dem edleren, aber unbesonnenen Leben gegenüber Macht gewinnt. Luschin gehört zu einer Sorte von Falschspielern, die daraus Vorteil zu ziehen weiß, daß ihr Partner unaufmerksam spielt. Einen solchen Vorteil gibt ihm etwa die Angst der Schwester und der Mutter um Raskolnikow in die Hand. Der Widerwille, den er erregt, beruht darauf, daß er den Typus des Geschickten verkörpert, der als bloßer Techniker des Lebens, wenn es im Grunde ganz andere Dinge gilt, die Augen auf seinen Profit gerichtet hält, der ihm so schwerlich entgeht. Er sucht die Bedrängten auf wie der Wucherer die Verschuldeten. In der Partie, die man mit ihm spielt, wird der Betrug nicht durch die falsche Karte, sondern durch den falschen Einsatz bewirkt, denn von ihm und seinesgleichen kann kein Gewinn ausgehen. Das Bedeutsame dieser Figur liegt vor allem darin, daß jeder im Leben einmal mit ihr in Berührung gekommen ist, mit jener untergeordneten, aber gefährlichen Überlegenheit, die auf der Kenntnis des Lebensmechanismus beruht.

Im Laufe der Handlung zeichnet der Autor dann zu stark in den Grundriß des Charakters hinein. So läßt sich Luschin, um Sonja zu schädigen, zu einem offensichtlichen und ungeschickt angelegten Verbrechen hinreißen. Gerade damit aber tritt er aus dem Felde seiner Stärke heraus, die auf besserer Kenntnis der Spielregeln beruht. Auch schwächt sich der Gegensatz, in dem er zu Raskolnikow steht. Die Herrschaft des Gemeinen ist dann am drückendsten, wenn sie sich der Formen des Rechten und Billigen bedient. Sowie es zum Verbrechen kommt, mindert sich die Bitterkeit.

An dem Roman im ganzen fällt der verworren architektonische Charakter auf — oder, besser gesagt, die labyrinthische Empfindung, die das Lesen erweckt. Es mag das auch darauf beruhen, daß, vom Sibirischen abgesehen, kaum ein Stück Natur in ihm erscheint. Die Handlung spielt sich in Zimmern, Häusern, Straßen und Lokalen ab, zwischen denen die Beteiligten in seltsam aufgeregter Weise hin und her eilen. Dabei scheint es weniger auf den wirklichen Gang der Geschäfte anzukommen als darauf, daß ein Stück Leben abgesponnen wird; jeder fühlt den Drang, mit jedem in Verbindung zu stehen.

Auch das Beängstigende der Lektüre hat einen architektonischen Zug — als ob man sich bei Nacht in einem fremden Hause bewegte, ohne zu wissen, ob man den Rückweg finden wird. Vielleicht hängt es damit zusammen, daß ich früh das Bedürfnis spürte, in den einzelnen

Räumen Messungen zu veranstalten. Dieses Verfahren gleicht dem, das uns gegen den Trug der indischen Magier zur Verfügung steht: in dem wir die Linse auf ihn richten, entziehen wir uns dem Unmittelbaren der Faszination.

Wichtig ist auch, daß man die Stimmung des Reisenden nicht verliert. Man nimmt an diesem Schauspiel teil, als ob man bei Nacht die Straßen und Plätze einer unbekannten Stadt durchwanderte, voll hoher Anregung und zwischen Bildern von leuchtender Deutlichkeit. Man blickt in die Häuser hinein, in die Zimmer und Wirtschaften, aber immer durch Fenster und Tür, denn es kommt sehr darauf an, daß man noch die Rahmen dieser Bilder sieht. Zuweilen fühlt man sich zum Beifall hingerissen, dann wieder beginnt man schläfrig zu werden, wie wenn man mit narkotischen Stoffen angeblasen wird. Seltsam zwingend wird die Vision vor allem dort, wo sich das Häßliche in der Perspektive des Mitleids verklärt. So gleich am Anfang, bei der großen Beichte des Marmeladow, Titularrates; man fühlt sich in eine schmutzige Küche versetzt, in der es nach Branntwein und Überresten riecht, und deren Boden sich im Halbdunkel mit schwarzen Schaben bedeckt. Aber sogleich gewinnt man den Eindruck, daß man die Sprache dieser Tiere versteht; sie erfüllen den Raum mit einem süßen und schmerzlichen Gesang. Doch bei alledem darf man nie vergessen, daß man sich in einer fremden Stadt befindet, die man am Morgen verlassen, und an die man sich nur in den Träumen erinnern wird.

Wie wenig wir im Grunde mit diesen Vorgängen, die wir wie durch einen Spalt erblicken, zu schaffen haben, weiß der Autor besser als wir. So fällt mir auf, daß man im allgemeinen als den Gegenspieler in dieser Welt den westlichen Typus vom Schlage des Untersuchungsrichters Porfirij zu erblicken pflegt. Dieses Gegenspiel ist jedoch untergeordneter, psychologischer Natur. Sowie es zum

Ernstfall kommt, vollzieht sich die Unterhaltung innerhalb der eigenen Substanz. So ist folgendes dafür ein
recht bezeichnender Zug: als Raskolnikow sich zum Ge-
ständnis entschließt, tut er das nicht vor Porfirij, der doch
Neigung für ihn besitzt, sondern bei dem sehr unangenehmen Leutnant Schießpulver. Es handelt sich hier eben
nicht um einen moralischen, sondern um einen sakramen-
talen Zusammenhang, in dem Porfirij freilich sich aus-
nehmen würde, wie es Pilatus im Credo tut.

Raskolnikow beschäftigt sich mit einer Theorie der
Macht; das Absurde seiner Gedanken liegt vor allem in
dem Bezuge auf Napoleon. Dabei bewegen sich in seiner
Umgebung Gestalten, die sehr wohl Beziehung besitzen
zu dem, was wir unter Macht verstehen. Neben dem priesterlichen Element deutet sich überall auch ein fürstliches
an. Dieses fürstliche Element tritt in den Karamasoffs
und vor allem in den Dämonen noch deutlicher hervor,
klingt aber auch bereits im Raskolnikow, und zwar in
der äußerst merkwürdigen Gestalt des Swidrigailow, an.
Während der Grundstoff in den priesterlichen Naturen
wie im Aloscha in der feurig-flüssigen Form erscheint,
tritt er hier unter tiefen Temperaturen auf und gestattet,
wie das Quecksilber, das auf den Gefrierpunkt sinkt,
keine Ablesung auf der moralischen Teilung mehr. Es
deutet sich in diesen Figuren das russische Gegenstück
zum Übermenschen an, und vielleicht ein Gegenstück von
größerer Wirklichkeit.

Das tritt besonders in der Beziehung zum Guten hervor, die bei aller Entfernung noch keine theoretische
Blässe besitzt. Das Gute, um bei diesem Wort zu bleiben,
erfährt hier eher eine Art von musealer Hochschätzung;
man kennt seine Kräfte wie die eines alten, erprobten In-
strumentes, dessen man sich, um herrliche Melodien zu
spielen, nach Belieben bedient. Man verfügt über einen
untrüglichen Instinkt für die Mittel, mit denen man unter
den Menschen Verheerungen anzurichten vermag. Dabei

fehlt der quantitative Zug, der ohne Zweifel der Tiefe des Genusses abträglich ist. Nicht der Umfang des Theaters entscheidet über das Spiel. Die Menschenverachtung ist gründlicher; bezeichnend vor allem die Art, in der die Schande abgleitet. Hierin leistet sich Swidrigailow noch bei seinem Selbstmorde ein starkes Stück.

Dostojewski führt diese Figuren nur im Zustande der Schwächung vor. Auch dürfte ihre Blüte wohl früher anzusetzen sein; in eine Zeit, in der eine von Leibeigenen umgebene, feudale Schicht in einzelnen Vertretern individuelle Freiheit gewinnt, bei sonst unberührten Verhältnissen. Daher ist es unwahrscheinlich, daß sich das Thema an einem anderen Punkte der Erde in diesem Sinne fortspinnen wird, obwohl es an Versuchen nicht fehlt.


*In den Wirtschaftsräumen*                                   *Goslar*


Ich saß in einem großen Café, in dem eine Kapelle spielte und viele, gutgekleidete Gäste sich langweilten. Um den Waschraum aufzusuchen, ging ich durch eine mit rotem Sammet verhangene Tür, aber bald verirrte ich mich im Gewirr der Treppen und Flure und geriet aus den elegant eingerichteten Räumen in einen Flügel, der sehr verfallen war. Ich glaubte, in die Bäckerei gekommen zu sein; ein öder Gang, den ich durchschritt, war wie mit Mehl bestäubt, und schwarze Schaben krochen an den Wänden umher. Es schien noch gearbeitet zu werden, denn ich kam in eine Ecke, in der ein Rad mit langsamen, ruckartigen Drehungen einen Riemen trieb; daneben bewegte sich zuweilen ein lederner Blasebalg auf und ab. Um in die Backstube zu sehen, die wohl darunter lag, beugte ich mich weit aus einem der erblindeten Fenster, die auf einen verwilderten Garten hinausgingen. Der Raum, den ich so erblickte, sah aber eher wie eine Schmiede aus. Bei jedem Stoß des Blasebalges sprühte ein offenes Kohlenfeuer, in dem Werkzeuge glühten, auf; und jede Umdrehung des Rades zog allerlei seltsame Maschinen an. Ich sah, daß man sich zweier Gäste, eines Herrn und einer Dame, bemächtigt hatte und sie nötigen wollte, die Kleider auszuziehen. Sie sträubten sich sehr, und ich dachte mir: »Freilich, solange sie noch die guten Sachen anhaben, sind sie in Sicherheit.« Es schien mir jedoch ein böses Zeichen, daß der Stoff schon hier und dort unter den Griffen zerriß, und daß das Fleisch durch die Risse zu sehen war. Leise entfernte ich mich, und es gelang mir, den Weg in das Café wiederzufinden. Ich setzte mich wieder an meinen Tisch, aber die Kapelle, die Kellner und die schönen Räume erschienen mir nun in einem ganz anderen Licht. Auch begriff ich, daß es nicht Langeweile war, was diese Gäste empfanden, sondern Angst.

*Die Phosphorfliege*                                    *Goslar*

Um die Mittagsstunde beobachtete ich in einer Schonung am Steinberge ein großes Wespennest, das halb geöffnet war. Es fiel mir dabei eine kleine Fliege auf, schwarz mit gelben Ringen, und besonders ausgezeichnet durch zwei grelle Flecke, die wie Katzenaugen vorn am Bruststück leuchteten. Die Tierchen lauerten vor der Öffnung des Nestes, während die Wespen aus- und einschwirrten. Sie trugen sich wohl mit Plänen räuberischer Art, deren Ausführung ich gerne belauscht hätte. Vielleicht hatten sie auch eine Kindes-Unterschiebung im Sinn.

Während dieser Beschäftigung hörte ich, wie zwei Knaben am Rande der Schonung vorbeischlenderten. Sie waren in ein metaphysisches Gespräch vertieft, wie es Kinder gar nicht selten führen, wenn keine Erwachsenen in der Nähe sind. Leider erhaschte ich nur einen Satz, nämlich:

»— — — und weißt du, was *ich* glaube? Was wir hier leben, ist nur geträumt; wir erleben aber nach dem Tode dasselbe in Wirklichkeit.«

Ich schlug rasch einen Bogen, um diesen Burschen zu sehen; es war der elfjährige Sohn eines Wegewärters, der in der Nähe wohnt. Solche Kinder sind natürlich klüger als wir. Leider kann man verfolgen, daß sich diese Art unmittelbarer Einsicht bald verliert; die entscheidende Zeit ist die des Stimmwechsels. Auch ich erinnere mich noch sehr gut an meine ersten metaphysischen Vorstellungen; eine von ihnen bestand darin, daß ich die Erwachsenen für Schauspieler hielt, die sich, sowie sie unter sich wären, mit ganz anderen Dingen beschäftigten. So hielt ich auch die Schule für eine von ihnen erfundene Vorspiegelung. Einmal, als ich andere, ältere Kinder mit Tornistern an mir vorbeikommen sah, begann ich doch zu zweifeln, dachte mir dann aber sogleich: »Die sind nur hier vorbeigeschickt, damit ich das glauben soll; hinter der nächsten Ecke werfen sie die Tornister fort.«

Es fällt mir übrigens auf, daß, wenn man ein beliebiges Verhältnis belauscht, wie hier das der Wespen, man zugleich von anderen verborgenen Dingen Kenntnis gewinnt, wie der Jäger auf dem Anstande oder der Soldat auf Vorposten. Der erste erotische Vorgang drängte sich mir auf, als wir als Kinder in einem alten Hause Versteck spielten. Wenn man an einem beliebigen Punkte zu beobachten beginnt, tritt man in eine besondere Beziehung zur Welt überhaupt, und wer ein Geheimnis erfaßt, dem nähern sich, ohne daß er es beabsichtigt, auch viele andere. Auf untergeordneter Stufe trifft das auch für den Erfinder zu; man kann sich dazu nicht entschließen, sondern man wird es, indem man die Position des Erfinders gewinnt. Daher haben Menschen mit solcher Veranlagung oft auf den verschiedensten Gebieten eine glückliche Hand.

Wenn wir eine bestimmte Farbe einige Zeit betrachten, bringt unsere Netzhaut die Ergänzung hervor. Wie jede sinnliche Erscheinung, so hat auch diese ihren geistigen Bezug; wir dürfen ihr schließen, daß uns ein Verhältnis zur Welt als zu einem Ganzen gegeben ist. Wenn irgendeiner ihrer Teile unsere Aufmerksamkeit übermäßig in Anspruch nimmt, so ruft der Geist wie ein Heilmittel das Fehlende herbei.

In diesem Verhältnis deutet sich zugleich unsere Schwäche an, die darin besteht, daß wir das Ganze nur im Nacheinander des Lebens zu erfassen imstande sind. Auch nehmen wir das Fehlende zunächst als Gegenfarbe wahr. Wir schreiten nicht geradlinig fort, sondern in Wellenbewegungen, und nicht von Stufe zu Stufe, sondern von Extrem zu Extrem. Abweichungen dieser Art muß man als unvermeidlich betrachten; sie gehören zum Leben, dem ein pulsierendes Element innewohnt, wie es sich schon in der Atmung oder im Herzschlag offenbart. Dennoch beschreiben wir unsere geistige Bahn gleich dem Zeiger der Uhr, der sich unter Schlag und Gegenschlag des Pendels bewegt.

So kommt es, daß wir im Verlaufe unserer Jahre oder auch der Geschlechter höhere Einsicht entfalten als in jedem der Augenblicke, aus denen dieser Verlauf sich zusammensetzt. Wer das im Auge behält, begreift viele Widersprüche unserer Natur. So neigen wir durchaus zur Ungerechtigkeit, und dennoch erblicken wir im Wandel der Zeiten auch das, was die Leidenschaft uns verbarg; unser Urteil wird treffender. Bei allen Nichtigkeiten, mit denen wir uns beschäftigen, tritt doch in der Erinnerung das Große und Echte immer bedeutender hervor. Wie sehr wir auch dem Zeitgeist unterworfen sind, so führen wir doch zugleich auf jedem Felde der Anschauung gegen ihn einen ewigen Prozeß. Und so wohnt uns auf allen Gebieten ein Hang zur Ergänzung inne, der heilende Wirkung besitzt.

Besonders schön tritt das in der Erscheinung des großen Historikers hervor: unsere Geschichte, die eine Geschichte der Parteiungen ist, wird durch ein göttliches Auge ergänzt. Architektonisch gesprochen zeichnet der Historiker in den babylonischen Plan unserer Anstrengungen die Bögen ein, deren Wahrnehmung sich den handelnden Mächten, die den tragenden Pfeilern gleichen, notwendig entzieht.


*Die Zinnia*                                    *Überlingen*


Es gibt Reichtümer, die als Geschenke in unser Leben eintreten. Eines Tages finden wir sie vor wie Bilder, die sich aus dem Unsichtbaren entfalten, und bald sind sie uns vertraut, sind unser Eigentum. So erging es mir auch mit Zinnia, einer Blume, die vor wenigen Jahren in unsere Gärten einwanderte.

Neben den Vorzügen, die der Gärtner an ihr rühmen mag, liegt das Überraschende an dieser Pflanze vor allem in der Willfährigkeit, mit welcher sie der Farbe als Medium dient. Nicht nur bringt sie, wie unsere anderen Gartenblumen, eine reiche Skala von reinen Tönen hervor, sondern ihre Begabung ist insofern einzigartig, als sie nach verschiedenen Schlüsseln eine ganze Reihe solcher Skalen zu entwickeln vermag. So scheinen ihre Blüten aus voneinander sehr entfernten Stoffen geschnitten und geprägt; aus Elfenbein, aus feinen Häuten, aus Sammet oder aus gegossenem Erz. Dem entspricht die Fülle der Pigmente, die sich auf den Blütenblättern niederschlagen wie bunte Kreiden oder Tuschen, auch wie Öl-, Stein- oder Metallfarben, und das wiederum mit zahlreichen Durchdringungen und Vermischungen.

Eine weitere Steigerung ruft die Färbung der Unterseite hervor, die häufig dadurch sichtbar wird, daß jedes Blütenblättchen sich ein wenig wölbt. In anderen Fällen fließt sie säumend auf die Oberseite ein wie Tusche über den feuchten Rand. Die Unterlagen zaubern, sei es durch Harmonie oder durch Kontrast, herrliche Muster hervor. Sehr schön ist etwa folgendes: Blütenfarbe nach Art des Goldlackes tiefsammetrot, die einzelnen Blättchen, die sich wie runde Dachziegel decken, mit hellgoldenem Rand. In der Mitte bildet ein Rest noch unverwandelter Staubgefäße einen goldenen Knopf. Dieses Muster wiederholt sich in dunkelbraunen, schwarzen, scharlach- und ziegelroten Spielarten, und zwar stehen die Farben bald auf porzellanartig glattem, bald auf weich aufgelockertem Grund.

Den tiefsten Eindruck erwecken diese Blumen dort, wo sie die Farben glühender Metalle nachahmen, und das vor allem bei jenen Arten, die sich zu Kolben ausstrekken. Zwar fehlt ihnen das Grelle, Raketenhafte, das manche Hyazinthen, und vor allem die Kniphofia, auszeichnet, doch dafür prägen sich die späten Formen der Glut in ihnen aus, bei denen die Wärme das Licht überwiegt. Dann scheint sie ein glühender Rauch zu umzittern, oder es geht das bunte Glosten frisch gegossener Metallkerne von ihnen aus. In mannigfaltigen Spielarten spinnt sich das Motiv des langsam erkaltenden Erzes aus, indem helle Randfarben konzentrisch abdunkeln. Dergleichen Anblicke rufen eine lebhafte und fast schmerzliche Freude hervor, indem das Herz durch glühende Berührung an die Verwandtschaft mit der Erde erinnert wird.

Wie ich sehe, breitet sich die Zinnia bis in die kleinsten Gärten aus, wenngleich ohne den Ruhm, der die Tulpe begleitete. Es ist schade, daß Brockes sie nicht kannte; er hätte ihr in seinem »Irdischen Vergnügen« ein unvergängliches Beet eingeräumt. Wenn man eine neue Blume erblickt, begreift man die Laune jenes Despoten, der einen Preis für die Erfindung eines neuen Genusses bot.

Auch gewinnt man eine Vorstellung von der unerschöpflichen Fruchtbarkeit der Welt, wenn man bedenkt, daß diese ganze Pracht vielleicht einer Prise von Samenkörnern entstammt, die ein einfacher Brief umschloß. Bald aber streuen ihre neuen Farben sich, wie durch Funkenwurf geschleudert, auf der Erde aus.

## Nachtrag zur Zinnia                                    Überlingen

Während ich mich der Umstände, unter denen ich einen neuen Gedanken faßte, meist nur unscharf zu entsinnen vermag, bleibt mir der erste Eindruck eines neuen Bildes auf das genaueste vertraut — fast, als ob es sich hier um eine andere Art der Zeit handelte, um ein leichteres und durchsichtigeres Medium, in dem auch das Entfernteste seine Farben und Umrisse leuchtend bewahrt, ich sah die Zinnia zuerst auf einem meiner Gänge mit Friedrich Georg am Muldenufer bei Fischendorf, und zwar in einer Blüte, die einer Rosette frisch geschlagener und langsam erkaltender Dukaten glich.

Merkwürdig ist, daß solche Erinnerungen mir auch die Gedanken schärfer zurückbringen, mit denen ich mich gerade beschäftigte; sie stehen wie Lichter in der Vergangenheit. So unterbrach dieser Anblick uns in einem Gespräch über die Unvollziehbarkeit einer lückenlosen Ordnung auf dieser Welt; und gerade auf die Unterbrechung führe ich es zurück, daß mir noch die Einzelheiten im Gedächtnis sind.

Immer geht von den Bildern eine höhere Sicherheit aus; sie geben den Grundstock der Erinnerung. Überall ist es die Anschauung, die das Geistige mächtig belebt; sie ist die Quelle erster Ordnung für alles Theoretische. Im Laufe der Zivilisation treten hierin leicht Mißverhältnisse ein, indem sich der Geist auf die Quellen zweiter und dritter Ordnung verläßt, wie denn auch in unserer

Wissenschaft gerade das Fixierte als Quelle bezeichnet wird. Hierdurch wird die Originalität zur Seltenheit, und in der Tat nehmen die Wörter selten und original im Sprachgebrauch eine sehr ähnliche Färbung an.

Dagegen ist zu bemerken, daß der Mensch original geboren wird, und daß auch eine Verpflichtung, ihn in diesem Zustande zu erhalten, besteht. Es gibt, neben der Formung und Züchtung durch die Institutionen, ein unmittelbares Verhältnis zur Welt, und aus ihm wächst uns die Urkraft zu. Das Auge muß, und sei es auch nur für die Spanne eines Aufschlages, die Kraft bewahren, die Werke der Erde wie am ersten Tag zu sehen, das heißt, in ihrer göttlichen Pracht.

Es gibt Zeiten — und vielleicht auch Zustände — in denen diese Gabe auf die Menschen verteilt ist wie der Tau, der auf den Blättern liegt. In anderen wiederum schwindet der goldene Äther dahin, der die Bilder umfließt, und die Dinge bleiben nur in ihren begriffenen Formen zurück. Hier kann die unmittelbare Anschauung, etwa als Dichtung, den unermeßlichen Wert einer Quelle gewinnen, die in der Wüste entspringt. Wo die Sprache erstarrte, kann das Gewicht eines Verses Bibliotheken aufwiegen, und es bewahrheiten sich in solchem Raume die unvergleichlichen Unterschiede, wie sie Hildebrand für Dietrich von Bern in Anspruch nimmt:

»— — — Die Kraft der Erde
Ward in zwei Hälften unter uns verteilt,
Die eine kam auf alle die Millionen,
Die andre kam auf Dietrich ganz allein.«


*Aus den Zeitungen*                                          *Stralau*

»Hab' ich euch endlich, meine lieben Jungen!«
Über diesen Totengruß einer Mutter vor den Särgen ihrer beiden Söhne berichteten am Morgen die Zeitun-

gen. Ich mußte lange und nach verschiedenen Richtungen darüber nachsinnen. So erschien es mir wunderbar, daß in einer Zeit, in der sich die Sprache in voller Auflösung befindet, eine einfache Frau einen Satz von so unwiderstehlicher Kraft zu bilden vermag.

Das Ereignis selbst hielt sich ganz im Rahmen der vermischten Nachrichten. Zwei junge Arbeiter, Brüder, schon seit einiger Zeit auf Abwege geraten, wurden bei einem Verbrechen überrascht, an das sich eine langwierige Verfolgung schloß. Nachdem das Treiben immer enger geworden war, hatte man sie endlich in einem Hause gestellt und nach einem längeren Kugelwechsel zur Strecke gebracht.

Ich nehme an, daß man diese Frau erst vor ihre Söhne führte, nachdem der staatliche Vorgang abgeschlossen war, der sich an solche Fälle anheftet. Die Gendarmerie, die Staatsanwaltschaft, die Ärzte hatten bereits ihre Pflicht erfüllt, waren aber wohl zum Teil noch anwesend, ebenso die Berichterstatter und sicher auch die nie fehlenden eingedrungenen Neugierigen.

In dieser schrecklichen Lage, im Angesicht sowohl der Unerbittlichkeit der öffentlichen Meinung als auch der Staatsgewalt, scheint es undenkbar, daß ein Vater die Zugehörigkeit aufrechtzuerhalten vermag. Um hier bestehen zu können, muß er seinen eigenen Gram in den Vordergrund rücken oder sich deutlicher noch absetzen, indem er, wenn nicht durch Worte, so doch durch sein Verhalten zu erkennen gibt, daß die Söhne aus der Art geschlagen sind.

In den Worten der Mutter dagegen handelt es sich allein und ausschließlich um die materielle und substantielle Zusammengehörigkeit; es werden in ihnen die Söhne erkannt und anerkannt, und dieser Begrüßung gegenüber bleibt es bedeutungslos, ob es sich hier in der moralisch-rechtlichen Welt um gute und vortreffliche Menschen handelte oder um Mörder und Einbrecher. Es tritt hier nicht nur der Unterschied zwischen dem Tragischen und dem bloß Traurigen, sondern auch der Unterschied zwischen der tragischen und der moralischen Welt auf das deutlichste hervor.

Zugleich verrät sich in diesem Satze eine offene Überlegenheit über die staatliche Ordnungswelt — eine Art von Schwerkraft, die sich durch nichts zurückhalten läßt. Es ist merkwürdig, wie dünn und unsicher demgegenüber der legale Zusammenhang mit seinem Zeremoniell und seinen Uniformen werden kann. Dergleichen wurde mir erst im Bürgerkriege klar — auch die Revolutionen sind unbedenklich, solange die Mütter nicht mitmachen. Dann aber kommen Augenblicke, in denen die beste Truppe das Schießen einfach vergißt. Wo die Frauen die Todesangst hinter sich lassen, vollziehen sich die Dinge mit Urstromgewalt.

An einem solchen Satze wird man auch beobachten, daß er in einem tieferen Sinne richtig ist, von der unfehlbaren Wahl der Worte bis auf die Stellung und Reihenfolge, in der die Vokale angeordnet sind. So schreitet in seinem zweiten Teile die Klage mit den drei betonten Vokalen drei mächtige Stufen hinab. Gleich am Anfange aber klingt das Seltsamste und Unerhörteste durch, nämlich der geheime Jubel, mit welchem vom nun unverlierbar Gewordenen Besitz ergriffen wird. Die männliche Bahn wird wie die des fliegenden Fisches gesehen; aus den Elementen auftauchend, spielt sie für kurze Zeit im farbigen Licht und kehrt in die Tiefe zurück.


*Nachtrag*                                                    *Überlingen*


Übrigens machte ich in dieser Sache noch eine besondere Beobachtung: Wenn ich höre, daß *Brüder* auf einer solchen Tat ergriffen worden sind, so erscheint mir das Kriminelle gewissermaßen abgeblendet oder abgeschwächt. Es muß hier eine Erinnerung an Zeiten mitwirken, in denen der Sippen-Zusammenhang in Rechtsfragen entschied. Es gibt auch die entgegengesetzte Auffassung, nämlich die, daß hier das Verbrecherische in besonderer Bösartigkeit zum Ausbruch kommt, insofern es, statt sich auf Individuen zu beschränken, die Familie ergreift — und wie ich den Gerichtsurteilen und Zeitungskommentaren entnehme, ist diese Auffassung bei uns die vorherrschende. Ihr entsprach ohne Zweifel bereits das Verfahren der frühen königlichen und priesterlichen Beamtenschaft, und in der Tat darf man, wo Familien mit dem Staate in Konflikt geraten, auf Punkte schließen, an denen die Zähmung noch nicht gelungen ist.

In der Kenntnis dieses Gegensatzes dürfte sich ein kleiner Schlüssel verbergen, durch den der einzelne, wohl zuverlässiger als durch körperliche Marken, feststellen könnte, ob und inwiefern er der Urrasse angehört.

*Anschaulicher Skeptizismus*                    *Steglitz*

Neben dem theoretischen Skeptizismus der Philosophen gibt es einen gefährlicheren, anschaulichen — eine von der Norm sehr weit entfernte Art der Einsicht, die vielleicht nur dadurch möglich wird, daß die Natur die Gewänder, die sie dem Leben überwirft, nicht scharf genug zuschneidet. So bleibt an den Nähten allerlei Überflüssiges bestehen. Überflüssig ist etwa, daß der Fisch, nachdem die Köchin ihn schlachtete, in der roten Pfanne noch Sprünge vollführt. Ebenso machen wir in Lagen, in denen wir vielleicht die Ohnmacht vorzögen, etwa während des Sturzes in den Abgrund, noch überflüssige Wahrnehmungen.

Was freilich für unser natürliches Leben überflüssig und schmerzlich ist, kann im Geistigen ungemein aufschlußreich sein. Auch gibt es einen Grad des Erstaunens, der die Furcht verdrängt — in diesem Zustande lüftet sich ein feiner Schleier, der die Welt fast immer bedeckt. So sagt man, daß im Mittelpunkte der Zyklone vollkommene Windstille herrscht. Man soll dort die Dinge unbewegter, leuchtender und deutlicher erblicken als sonst. An solchen Punkten stehen dem Auge exzentrische Einblicke frei, denn die übertriebene Wirklichkeit gleicht einem Spiegel, in dem auch das Trügerische sichtbarer wird.

Es scheint mir, daß auch im Kriege, und zwar unmittelbar nach der Erstürmung des ersten Grabens, eine ähnliche Stille sich ausbreitete. Nach dem Orkan der Artillerien, nach dem Anlauf, nach dem Kampf Mann gegen Mann, trat eine tiefe Ebbe ein. Das wütende Tosen der Schlacht in ihrer bedeutsamsten Steigerung wurde durch ein jähes Schweigen abgelöst. Mit der Vernichtung des Gegners war das Gesetz des Handelns erfüllt, aber auch aufgehoben, und das Schlachtfeld glich für kurze Zeit einem Ameisenhaufen, dessen Aufruhr unter dem Banne der Sinnlosigkeit erstarrt. Jeder stand regungslos — wie ein Zuschauer, vor dessen Augen ein riesenhaftes Feuerwerk abgebrannt ist, aber zugleich als ein Handelnder, der schreckliche Taten verrichtet hat.

Dann begann das Ohr die eintönigen Schreie der Verwundeten zu vernehmen; es war, als ob eine einzige, ungeheure Explosion alle zugleich getroffen hätte. Diese Schreie, in denen das erstaunliche Leiden der Kreatur zum Ausdruck kam, waren gleichsam der verspätete Protest des Lebens gegen die noch rauchende historische Maschinerie, die achtlos über Fleisch und Blut hinweggerollt war.

An Augenblicke dieser Art erinnere ich mich so stark, daß ich noch den Geruch des Pulvers zu schmecken meine, der in Schwaden dem durch Geschosse aufgepflügten Boden entstieg. Es war ein wunderlicher Ausdruck der Verwirrung, der auf allen Gesichtern geschrieben

stand — als ob hinter feurigen, wie durch einen Zauber-
schlag verschwundenen Theater-Dekorationen die ver-
blüffende Auflösung eines lange gesuchten Rätsels erschienen sei. Vor dem ermatteten inneren Auge erglomm
die Gegenfarbe einer glühenden und blitzenden Illusion,
die sich aus der Dumpfheit des Traumes nährte und aus
einer den Wahnsinn streifenden Leidenschaft.

Daß die Welt ein riesiges Narrenhaus ist, aber daß hinter der Narrheit Methode, ja vielleicht Bosheit steckt
— — — daß man als ein unter dem Gesetze einer höheren Regie improvisierender Statist an einem Schauspiel
teilgenommen hat, während dessen man nicht denken
konnte, und dessen Bild man nun erst mit dem Bewußtsein einholt und vor ihm erstarrt — — — daß man, im
höchsten Sinne preußisch gesprochen, im *Dienst* gewesen ist — — — alles dies wird im gedankenlosen Zustande geahnt, in einer Mischung von Erschöpfung und
Scharfsinn, und mit einer durch die Nähe des Todes ge-
schärften Witterung.

Vielleicht hatte sich die Welt zu üppig mit den roten
und gelben Farben des Feuers geschmückt; nun trat als
Nachbild ihr schwarzes Sparrengerüst hervor. Darüber
aber streifte gleich einer Schwinge ein sehr heiteres Gefühl, das jenem glich, mit dem man beim Erwachen sich
geträumter Verwirrungen entsinnt.

War es nicht so, als ob der Weltgeist seine Hüllen ein
wenig zu heftig, ein wenig zu hastig bewegt hätte, so daß
das Verschleierte für einen Augenblick dem stumpfen
Sinn erschien? Wenn die Welt aus den Fugen geht, ent-
stehen Risse, durch die wir Geheimnisse der Architektur
erraten, die uns gemeinhin verborgen sind. So schien es
mir, als ob für einen Augenblick eine tiefere Wirklichkeit
als die des Sieges sich der Herzen bemächtigte, während
sich aus der zweiten Linie bereits von neuem die Mündungen des Todes auf sie richteten.

Das Skrupulöse und Mikroskopische der Neigungen gehört zu den ersten Anzeichen, durch die sich die Schädigung der natürlichen Gesundheit verrät. Unser sinnliches Werkzeug ist auf eine gewisse handliche Art gestimmt, mit Dingen und Menschen umzugehen. Wenn wir in Ordnung sind, muß unser Genuß lebhaft sein, der Zugriff entschieden und der Appetit nicht allzu wählerisch. So müssen uns gemeinhin am menschlichen Gesicht die Poren der Haut unsichtbar sein.

Im Zustande der Schwächung dagegen tritt der Gesamteindruck zurück, und die Einzelheiten drängen sich auf. Der geistige und körperliche Ekel wird wachsamer, und die Sinne werden durch eine unangemessene Verfeinerung geschärft. Die Geräusche, Gerüche und Farben greifen leichter an, die Speisen bereiten Überdruß. Vor allem wird dem Gaumen das Fleisch zuwider, ebenso der Tabak und die starken Getränke; dieser Widerwille erstreckt sich auch bald auf den Umgang mit denen, die sich an solchen Genüssen erfreuen. Es entwickelt sich die Unduldsamkeit der Enthaltsamen.

Der Verstand zeigt sich zu Bedenklichkeiten, zu Zweifeln und Haarspaltereien geneigt. Das Hintergründige, das Doppel- und Vielsinnige der Sprache tritt stärker hervor. Die Zusammenhänge dagegen treten zurück; der Geist faßt weniger die Sätze und Gefüge als die einzelnen Worte auf. Hieraus leitet sich eine punktförmige und vertrackte Art des Widerspruches ab, die den Gang der Unternehmungen stört. Beim Schreiben entwickelt sich eine Art von übertriebener Reinlichkeit, der Gedanke strebt die immer feinere Fassung an, der grammatische Zweifel beginnt den freien Fluß der Ideen zu hemmen und steigert sich bis zur subtilen Spielerei. So entsteht ein gefilterter Stil, der zuweilen durch seine unfruchtbare Schönheit und künstliche Gesundheit verblüfft, eine Prosa für

Vegetarier. Dem entspricht ein leerer Klassizismus in der bildenden Kunst.

In diesem Zusammenhang gehört ferner eine Art der Empfindsamkeit, die auch die moralischen Züge wie durch ein Vergrößerungsglas zu erblicken vermag — die kränkliche Scharfsichtigkeit dessen, der sich den Appetit am Menschen verdorben hat. Dann treten in den Gesichtern die geheimen Mißverhältnisse hervor, das Lachen wird unangenehm, der Ton der Stimme verrät unverhüllter die Winkelzüge und Absichten, in denen sich der Sprechende bewegt. Diese Feinfühligkeit erstreckt sich leicht auch auf die spiegelbildliche Beobachtung, so beim Beicht-Skrupulanten, einem Typus, der auch in den protestantischen Ländern nicht fehlt.

Der Gattung der Skrupulanten, welche die Dinge mit den feinsten Gewichten wägt, entspricht eine andere, die nur mit Bergeslasten hantiert, und die man als die Posaunisten bezeichnen kann. Diese zweite Sorte ist fast bedenklicher, denn während das Staubkorn doch noch ein winziges Stückchen Erde umfaßt, herrscht hier das völlig ungewisse Element der Luft. Die Dinge nehmen einen windigen und verblasenen, einen schiefen und aufgetriebenen Charakter an. Sie schwanken wie die Wetterfahnen im Sturm der Launen und Ansichten.

Während man die Skrupulanten zum Pessimismus geneigt finden wird, herrscht bei den Posaunisten der Optimismus vor. Die einen haben etwas Seßhaftes, Eingezogenes, die anderen etwas Bewegtes und Unstetes. Dort bohrt sich der Geist uhrmacherartig in immer feinere Gehäuse ein, hier bläst er mit kräftigen Stößen eine Reihe von wechselnden Gebilden auf. Dort sieht man den konzentrisch, hier den exzentrisch arbeitenden Geist. Der eine kapselt sich gern in sektenhafte Zusammenhänge ein, der andere liebt die große Versammlung und den offenen Markt. Wenn man einen Posaunisten im Lauf der Jahre verfolgt, könnte man einen Katalog seiner Neigungen anlegen — als Philosoph etwa bläst er sich durch sämtliche Systeme hindurch.

Als Besucher hört man den Posaunisten schon unten im Flur; er tritt lebhaft herein und packt das Gespräch sogleich beim Schopf. Wenn er Widerspruch findet, macht er sich unter Grobheiten davon. Sein Groll hält jedoch nicht lange an; es ist dies ein Schauspiel, das sich alle halben Jahre wiederholt. Vielleicht enthüllten jene Ansichten, für die er sich das letztemal ereiferte, inzwischen sich bereits in ihrer vollen Windigkeit. Vergeblich wäre es indes, ihn darauf hinzuweisen, denn es fehlt ihm die geistige Scham, und damit die durchgehende Verantwortung.

Der Skrupulant dagegen schleicht sich leise ein, möglichst zur Stunde der Dämmerung. Oft fühlt man sich zunächst überrascht durch eine so feine und besondere Art, die Dinge zu sehen. Bald aber kommt gleich dem Pferdehuf die Mißbildung hervor; er setzt voraus, daß wir irgendeiner Ungereimtheit zustimmen. Findet er uns unzugänglich, so verabschiedet er sich mit spitzen Wendungen und läßt sich nicht wieder sehen. Dafür hört man von ihm und den Seinen, denn oft verfügen solche Geister über sektenbildende Kraft.

Solcher Art sind die beiden Abweichungen, mit denen man hauptsächlich in Berührung kommt. Sie gleichen den Konkav- und den Konvexspiegeln, von denen jeder das Bild in einem anderen Sinne verzerrt. Manchmal möchte es scheinen, als ob nichts seltener wäre als der gesunde, handfeste Verstand. Dafür aber ist er es allein, der die Dinge ins Lot zu bringen weiß. Nicht die unzähligen Schläge, die danebengehen, treiben den Nagel ein, sondern der eine, der trifft.

Auf dem ersten Rundgange um das Oberland überraschte mich in der Nähe des Nordhornes ein rauhes und
vielstimmiges Geschrei; es erinnerte mich daran, daß zu
den Merkwürdigkeiten dieser Insel auch eine Sommer-
kolonie von nordischen Lummen gehört.

Gleich darauf sah ich die Vögel von der Klippe ab-
streichen; ihre Niststätten waren durch den überhängen-
den Fels gegen die Sicht gedeckt. Nur die an- und ab-
schwirrenden Tiere zeigten sich dem Blick; sie schwebten
in pfeilgerader Linie den Brutplatz an, wie Immen einen
riesigen Bienenstock, und kehrten von dort zu den Fisch-
gründen zurück. Vergebens versuchte ich, ihnen mit den
Augen zu folgen; sie flogen weit auf das Meer hinaus
und verschwanden als Punkte im Unendlichen. Ebenso
tauchten die Zurückkehrenden aus der Leere des Blick-
feldes wieder auf.

Dieses Schauspiel war von einer zauberhaften Regelmäßigkeit; sein Anblick rief einen Zustand der Erstarrung hervor. Das Meer nahm das Ansehen einer blanken
Scheibe an, von deren Umkreis das gefiederte Leben
strahlenförmig zu einem geheimen Mittelpunkt zusam-
menschoß, um sich dann in der gleichen Ordnung wieder
zu zerstreuen. Es schien den einschläfernden Glanz dieses
Spiegels noch zu erhöhen, daß sich das feine Netz der
Flugbahnen wie eine strenge Gradeinteilung auf ihm ausbreitete.

Solche Figuren rufen zugleich eine besondere Verfeinerung, eine Kristallisation des Auges hervor; sie scheinen wie doppelt geschliffene Gläser dem Blick eine größere Schärfe zu verleihen. In ihrer tellurischen Mathematik bieten sie eines der mächtigsten Schauspiele dar, in
dem sich hüllenloser als sonst Gewalt und Ordnung dieser Erde offenbart. Auch mischt sich in ihrem Anblick,
wie in dem zweiten Gesang des Messias, in den Triumph

Entsetzen ein — wie vor den Bewegungen einer furchtbar gebändigten Macht. Vor allem aber fühlen wir, wie in einer Urmelodie, Verwandtes in ihnen anklingen — das kühne Doppelspiel des Geistes, das uns so sehr in Anspruch nimmt und doch so tief verborgen ist. Auf der einen Seite strebt dieses Spiel der höchsten, metallischen Ausprägung des Bewußtseins zu, auf der anderen verliert es sich in die wilden Zonen der elementaren Gewalt.

In diesen beiden Neigungen, die so sehr voneinander abweichen, ja, die sich zu widersprechen scheinen wie Traum und Wirklichkeit, verbergen sich Einheit und Mannigfaltigkeit dieser, unserer so rätselhaften Welt. Wir finden sie in jedem großen Streitfall dieser Zeit, in jeder ihrer Theorien und bedeutenden Erscheinungen, ja, im Charakter jedes einzelnen von Rang. Nichts ist so sehr bezeichnend für uns wie dieses Nebeneinander von furchtbarer entfesselter Kraft und der unbewegten Kühnheit der Anschauung — das ist unser Stil, ein Stil von vulkanischer Präzision, dessen Eigenart man vielleicht erst nach uns erkennt.

Dennoch gibt es manches, was das historische Bewußtsein kaum wiederherstellen wird, so etwa die wilde und regellose Art, in der die Elementar- und die Ordnungsseite unserer Macht einander ablösen wie Feuer und Eis. Wir fahren durch diese Welt wie durch eine titanische Stadt, die hier der Schein von schrecklichen Bränden erleuchtet, während dort die Werkleute an den Grundrissen gewaltiger Bauten beschäftigt sind. Es wechseln in schneller Folge Bilder eines tiefen und dumpfen Leidens, das sich wie in Träumen vollzieht, mit der dämonischen Unverletzbarkeit des Geistes, der das Chaos dem Bann seiner Lichter und Blitze und seiner kristallischen Figuren unterwirft.

Aber wie sich hier das Bild der Meeresfläche mit den scharfsinnigen Bewegungen der insektenhaften Vögel vereint, so sind auch Punkte zu ahnen, an denen diese beiden großen Motive sich nähern und ineinander einschmelzen, und es ist möglich, daß sich in dieser Deckung der metaphysische Teil unserer Aufgabe verbirgt.

*Zur Désinvolture*                                   *Goslar*

Die Dinge, die niemand auch nur vermißt, sind nicht die schlechtesten. Zu ihnen gehört die Désinvolture — eine Haltung, für die uns der entsprechende Ausdruck fehlt. Man findet das Wort meist durch »Ungeniertheit« übersetzt; und das trifft insofern zu, als es ein Gebaren bezeichnet, das keine Umschweife kennt. Zugleich aber verbirgt sich in ihm noch ein anderer Sinn, und zwar der der göttergleichen Überlegenheit. In diesem Sinne verstehe ich unter Désinvolture die Unschuld der Macht.

Wo die Désinvolture unversehrt ist, kann über Machtfragen kein Zweifel bestehen. An Ludwig XIV., als er das Parlament auflöste, muß sie noch sichtbar gewesen sein. Auch an seiner von Bernini gemeißelten Büste, die ich in Versailles betrachtete, fiel mir das auf; jedoch tritt schon Pose hinzu. In diesem Zustande sind die Fürsten so unangreifbar, daß man selbst die Aufstände in ihrem Namen führt. Wo die Désinvolture dagegen verlorengeht, beginnen die Mächtigen sich zu bewegen wie Menschen, denen das Gleichgewicht fehlt; sie klammern sich an die untergeordnete Richtschnur der Tugend an. Das ist ein sicheres Vorzeichen für den Untergang. Bei Naturen wie Ludwig XV. und Friedrich Wilhelm II., dessen von Anton Graff gemaltes Porträt vorzügliche Aufschlüsse gewährt, vermute ich subtile Einsichten in diesen Zusammenhang. »Nach uns die Sintflut« — das hat noch einen anderen, verborgenen Sinn. Man hat als letzter an einem bestimmten Vermögen teil, aber keinen Erben mehr hinter sich. So wird's denn verspielt.

Auch die sichere Verfügung über fürstliche Schätze ist

Sache der Désinvolture. Der Mensch vermag das Gold ohne Neid zu betrachten, wenn er es in der Hand des Edlen erblickt. Der arme Lastträger, der den glücklichen Sindbad inmitten seines Palastes thronen sieht, beginnt Allah zu preisen, der so hohe Gaben verleiht. In unserer Zeit ruft der Reichtum bei den Menschen das schlechte Gewissen hervor, sie suchen sich daher durch Tugend zu rechtfertigen. Im Überflusse versuchen sie nicht zu leben wie Mäzen, sondern wie die kleinen Buchhalter.

Die Désinvolture ist Wuchs und freie Gabe, und als solche dem Glück oder der Zauberei weit eher als dem Willen verwandt. Unser Denken über die Macht ist seit langem durch die übertriebene Beziehung zum Willen verfälscht. Die Stadt-Tyrannen der Renaissance sind mäßige Vorbilder, untergeordnete Techniker. Der Mensch ist doch noch ein wenig mehr als ein Raubtier — nämlich der Herr der Raubtiere. Bei dieser Bemerkung fällt mir ein, daß auch der Ritter im Löwengarten Désinvolture besitzt.

Auf einer festlichen Tafel, an der viele Gäste versammelt sind, liegt ein goldener Apfel zur Schau, den niemand zu berühren wagt. Jeder hat den brennenden Wunsch, ihn zu besitzen, aber jeder fühlt, daß sich ein schrecklicher Aufruhr erheben würde, wenn er diesen Wunsch auch nur andeutete. Da tritt ein Kind in den Saal und ergreift den Apfel mit freier Hand; und aller Gäste bemächtigt sich eine tiefe, freudige Zustimmung.

Die Désinvolture als die unwiderstehliche Anmut der Macht ist eine besondere Form der Heiterkeit — freilich bedarf auch dieses Wort, wie so viele unserer Sprache, der Wiederherstellung. Die Heiterkeit gehört zu den gewaltigen Waffen, über die der Mensch verfügt — er trägt sie als eine göttliche Rüstung, in der er selbst die Schrecken der Vernichtung zu bestehen vermag. Von dieser hellen Kraft, die sich im Morgentau der Geschichte verliert, reicht die Désinvolture als ein in hohen Häusern gepflegter Sproß noch tief in die Zeitrechnung hinein; und es ist nichts anderes als ihr eigener Mythos, der die Völker bei solchem Anblick ergreift.

Diese Verhältnisse kann man sich auch architektonisch zurückrufen. So gibt es hier in Goslar nur ein Gebäude, das der Désinvolture als Rahmen angemessen ist. Das ist nicht etwa die schlecht wiederhergestellte Kaiserpfalz, sondern das alte Rathaus am Markt, ein aus grauem Stein geschnittenes Juwel. Wenn man es von der Brunnenseite aus betrachtet, erblickt man in seinen zugleich leicht und mächtig gefügten Bögen ein des Eintrittes von Fürsten würdiges Portal.

*Nachtrag zur Désinvolture*          *Überlingen*

Zu den Gedanken, die mich hin und wieder beschäftigten, gehört auch der, daß eine im Wechsel der Epochen unveränderliche Landschaft besteht, in der die geistigen Verhältnisse *sichtbar* sind. Dem muß eine Art entsprechen, Philosopheme aufzufassen, wie man Reisebeschreibungen liest. Man kann nachprüfen, unter welchen Breiten sich der Autor befand, an welchen Küsten, an welchen Inseln er vorüberfuhr. Auch gibt es gewisse Kaps oder Landmarken, die nicht durch Denken entdeckt werden, sondern die man erblickt haben muß. Ein solcher Punkt, in Beziehung zur Désinvolture, fällt mir soeben im Verlaufe meiner Lektüre auf, und zwar in Bacons Essays:

»Offenbare und augenscheinliche Vorzüge schaffen Lob, geheime und verborgene Tugenden dagegen, das heißt gewisse Charakteräußerungen, für die es keinen Namen gibt, erzeugen das Glück. Das spanische Wort ›desenvoltura‹ gibt sie zum Teil wieder, falls zwar kein Halt und keine Stetigkeit im Charakter eines Mannes ist, jedoch die Räder seines Geistes mit den Rädern seines Glückes Schritt halten.«

Diese Stelle findet sich in einer Abhandlung über das Glück, die sich auch durch andere merkwürdige Sätze auszeichnet, wie etwa den, daß es keine zwei glückbringenderen Eigenschaften gibt, als etwas vom Narren und nicht zuviel vom Ehrenmann an sich zu haben. Das ist eine jener Bemerkungen, durch die ein Autor beweist, daß er der Sprache gegenüber Souveränität besitzt. Übrigens ist die Sprache Bacons zur Behandlung solcher Gegenstände insofern besonders geeignet, als der Flor unserer Begriffe bei ihr noch in der Knospe steckt.

*Historia in nuce: Der verlorene Posten*      *Goslar*

Zu den Figuren unseres Schicksals zählt auch jene, die als der verlorene Posten bezeichnet wird, und niemand weiß, ob gerade dieses Schicksal sich nicht eines Tages auch an ihm vollstreckt. Das Verhängnis tritt zuweilen schnell an uns heran, so wie uns der Nebel im Hochgebirge überrascht. In anderen Fällen sehen wir die Gefahr von fernher auf uns zuschreiten; wir sind ihr gegenüber in der Lage eines Schachspielers, der sich zu einem langen, scharfsinnigen Endspiel rüstet, obwohl er den Verlust als unvermeidlich erkennt.

Auch wo das Unheil große oder kleine Gruppen auf den verlorenen Posten drängt, gibt es ein Erwachen über Nacht; und das vor allem dort, wo die Geschichte in ihren verborgeneren Gängen arbeitet. Wir neigen zu dem Glauben, daß die Katastrophe sich weithin sichtbar ankündet, und daß bedeutende Zeichen ihr vorausgehen. Weit häufiger ist jedoch der Fall, daß ein historisches Gebäude durch Ameisenfüße untergraben wird. Dann freilich kann ein Hauch es fällen, wie ihn das Aussprechen eines Wortes erzeugt. Und schnell dringt der Schrecken ein, wo man eben noch beim festlichen Gastmahl saß. Aufspringend erkennen die Lebenszecher im Flammenscheine den

Trug, mit dem die Sicherheit den Menschen umwebt.

Sehr schön werden alle Kennzeichen dieser Lage sichtbar, wo die Zeit sie ausreifen läßt. Das kann auf die verschiedenste Weise geschehen. So können Städte der Gläubigen sich noch lange in Ländern erhalten, in denen ringsum bereits fremde Opfer gebracht werden, wie das Akkon der Tempelherren oder das maurische Granada. Ebenso leben Einrichtungen wie Schulen, Klöster oder Faktoreien oft noch Jahrzehnte in der Isolation. Das gleiche kann im eigenen Lande geschehen, sei es an Gemeinden, an Ständen oder Familien. Inmitten der Verfolgung gibt es Inseln, die der Schrecken lange vergißt. So lebte Rivarol in Paris.

Unter solchen Umständen tritt das Leben oft in eine ihm sonst unbekannte Helle und Durchsichtigkeit ein. Wie wir von unseren im Firn-Eis errichteten Warten die Sterne am klarsten erkennen, so werden uns auf verlorenem Posten unsere Ordnungen deutlicher. Dann gewinnt selbst das Gewohnte und Alltägliche eine besondere Würde, einen höheren Rang. Mir leuchtete das zum ersten Male ein, als ich nach unserem Rückzuge an der Somme in den geräumten Stellungen die Ronde ging. Jede unserer Handlungen birgt in sich einen uns unbekannten Kern.

Gegenüber der Vernichtung treten diese Züge auf das sichtbarste hervor. Der Mensch handelt dann nicht mehr, wie es seiner Erhaltung, sondern wie es seiner Bedeutung entspricht. So schließt sich dem Untergange altberühmter Städte wie von Karthago, Zion oder Byzanz der Tod der letzten Verteidiger gleich einem reinen Schau-Opfer an. Der einzelne waltet dann nicht mehr in seinem besonderen Amt, sondern als sakraler Zeuge, den der Tod an den geweihten Orten, sei es am Mauerringe, sei es vor den Bildsäulen oder auf den Stufen des obersten Tempels, anzutreffen hat. Der gleiche Vorgang vollzieht sich auf Deck eines sinkenden Kriegsschiffes, in dem sich die

Unverletzbarkeit der heimatlichen Erde repräsentiert. Der Mensch verfügt in solchen Lagen, auch wenn er sie niemals durchdachte, über sehr feine Unterscheidungen. So weiß er, daß es angängig ist, sich vom Sieger aus dem Meere aufnehmen zu lassen, nicht aber vom sinkenden Schiff. Auch darf er hoffen, daß, wenn er bis zu einem bestimmten Punkte bestanden hat, sich hohe Kräfte seiner annehmen. Es gibt eine Art von erlauchter Heiterkeit, die den Kämpfer, stärker als je die Liebe, im Angesicht des Todes überrascht. Ihr entspringen die herrlichen Scherze unter der brennenden Decke im isländischen Saal.

In solchen Schauspielen tritt die Geschichte in ihre höchste Bildhaftigkeit ein oder in das Zentrum der Zeit. Es kann sich daher des Menschen das sublime Gefühl bemächtigen, Letztes und Endgültiges zu tun, ein Gefühl, das jeder guten Schilderung des Abendmahls ihr Licht geben muß. Eine ähnliche Stimmung durchleuchtet das Leben in abgeschnittenen und dem Untergange geweihten Landschaften, auch tritt sie mit den großen Seuchen auf. So trägt die Pestchronik von St. Gallen ihre Kennzeichen — die herbstliche Mischung von Trauer und Heiterkeit, das Gefühl der geistigen Bruderschaft und den symbolischen Zug der Handlungen. Nicht vergessen sei in diesem Zusammenhange die letzte Versammlung der bedrohten Familie, wenn niederer Bluthaß die Städte durchflammt. Erst hier, tief unter der Oberfläche sozialer Verträge, leuchtet dem Menschen die Macht seiner Bündnisse ein.

Auf verlorenem Posten muß das Leben sich entscheiden, so wie die Materie unter hohem Druck sich in ihren kristallischen Formen offenbart. Hier tritt auch das Niedere deutlicher hervor, wie etwa die Mannschaft eines sinkenden Piratenschiffes sich durch wilde Ausschweifungen betäubt. Daher sucht man innerhalb der Ordnungen den einzelnen auf den Ernstfall vorzubereiten, in dem er gleich dem letzten Menschen ohne Befehl und Verbindung standzuhalten hat. Den Rang solcher Repräsentation erkennt man daran, daß sie selbst innerhalb der Auflösung Punkte zu bilden vermag, nach denen das Ganze sich ausrichtet. Die stellvertretende Kraft des einzelnen kann ungeheuer sein; und die Geschichte kennt Prozesse, bei denen, wenn Millionen schweigen, *ein* guter Zeuge das Urteil wenden kann.

Daher gehören zu den geistigen Werkzeugen, unentbehrlich zur hohen Erfassung der Welt, auch die historischen Studien. Aus den großen Auftritten zwischen Menschen, wie sie die Überlieferungen schildern, klingt uns eine Sprache entgegen, die unmittelbar auch an uns sich richtet; und das Archiv unserer Urkunden enthält unübertreffliche Antworten auf die Frage, wie man sich auf verlorenem Posten verhält. Zu den großen Kursen, welche die Historie in sich verbirgt gleich einer geheimen Akademie, gehört auch die Kunst, wie man sterben lernt. Ludwig XVI. tat daher recht, als er sich während der Gefangenschaft im Temple mit der Geschichte Karls I. beschäftigte.


*Die Vexierbilder* *Überlingen*

Nigromontani liebenswerte Traurigkeit — die Traurigkeit des Gärtners, der in bedrohten und vom Palast entfernten Gärten arbeitet. Es mag sein, daß diese Eigenschaft mit seinem Berufe zusammenhing, denn immer beneidete er die höheren Stufen der Einsamkeit und der ungeteilten Anschauung.

Dabei war er zur Unterweisung geboren wie der Vogel zum Flug, und immer tiefer verwundert es mich, wie unvermerkt er mich auf sein Gebiet zu führen verstand. Wie man dem Kinde, das rechnen lernen soll, zunächst eine Tafel mit weißen und roten Kugeln schenkt, so war sein Leitfaden stofflich gefaßt; er besaß Vorräume, in denen seine Art zu denken auf das Handgreifliche zugerichtet war. Das Denken sah er als ein Handwerk an; er hielt darauf, daß es am Stoffe betrieben wurde, und liebte seine materiell gefärbten Synonyma. Auch sprach er nicht von seinen Schülern, sondern von seinen Lehrlingen.

Sein erster Unterricht war Anschauungs-Unterricht; er erteilte ihn im zwanglosen Gespräch, wie es die Gelegenheit ergab. Dabei gestattete er den unbeschränkten Flug; nur hielt er darauf, daß er von Punkt zu Punkte ging — das heißt, seine einzige Korrektur lag darin, daß er das Abstrakte immer wieder auf den Gegenstand bezog. Sobald sein Partner sich im nur Gedachten oder nur Empfundenen verlor, renkte er das Gespräch durch einen unauffälligen Handgriff, etwa wie man eine Nadel fädelt, wieder ein.

Während der ersten Jahre handelte er allein die Lehre von den Oberflächen ab. Wie jedes Wort, so trug auch dieses bei ihm seinen eigenen Sinn — auch Licht und Geist galten ihm als Oberflächen, welche die Materie zu bilden vermag. Er lehrte die enge Bruderschaft mit allem Vergänglichen und Beweglichen, aber auch die Kunst, zu rechter Zeit davon zu scheiden — daher verehrte er die Schlange als sein Wappentier. Auch lehrte er, ganz im Gegensatz zu allem, was man auf den hohen Schulen hört, den Sinnen zu trauen; er hieß sie Zeugen eines goldenen Zeitalters, so wie Inseln Zeugen untergegangener Kontinente sind. Immer auch, so sagte er, gewähre die Oberfläche in ihrer bunten Musterung geheime Aufschlüsse — wie man aus den Kräutern und Blumen des freien Bodens auf verborgene Wasseradern und Erzlager schließt. Solche Kontakte der Sinnenwelt mit den tieferen Strömen zu ermitteln, sei eine der erleuchtenden Aufgaben. Er war der Meinung, daß wir die sichtbaren Dinge viel zu flüchtig erforschen, und vielleicht rührte daher seine Vorliebe, sich mit Gegenständen zu umgeben, die sich bei näherer Betrachtung seltsam verwandelten.

So liebte er die changierenden Stoffe, die irisierenden Gläser und Flüssigkeiten, deren Farben schillerten oder sich mit dem Lichte veränderten. Seine Lieblingssteine waren der Opal und der geschliffene Turmalin. Auch besaß er eine Sammlung von verkappten Bildern, die wie durch Zauberkunst aus einfarbigen Mosaiken hervortraten. Diese waren etwa aus Steinchen gefügt, die man am hellen Tage nicht von anderen, ähnlich gekörnten unterschied, doch die mit der Dämmerung phosphorisch aufleuchteten. Man sah bei ihm Öfen, auf denen, wenn sie geheizt wurden, in roter Schrift Sprüche hervortraten, und im Garten Terrazzi, auf denen ein Regenguß schwarze Symbole hervorzauberte. Auch die Ornamente, die er in seinen Räumen und an seinem Gerät verwendete, gaben den Blicken unerwartete Dinge preis — so die Mäander, an denen abwechselnd der schwarze Strom oder die hellen Ufer sich abhoben, oder der auf die Ebene gezeichnete Würfel, der dem Betrachter bald die Stirn, bald die Rückseite zuwandte. Er besaß Transparente, auf denen harmlose Dinge sich in grausige verkehrten, oder auch das Schreckliche durch strahlendes Licht sich in das Schöne verwandelte. Auch liebte er die Kaleidoskope, von denen er Stücke anfertigen ließ, in denen geschliffene Halbedelsteine mit der Eleganz des Gedankens sich zu Rosetten und Sternen fügten, in denen Freiheit und Symmetrie wetteiferten. An dergleichen ergötzte ich mich oft in seinem Gartenhaus, das er in Wolfenbüttel, einem kleinen, aber bedeutsamen Landstädtchen, vor den Toren erbaut hatte. Wir fuhren an den Samstagen hinüber, um alte Handschriften einzusehen; auch traf er dort zuweilen wunderliche, von weither gekommene Bekannte an.

Wenn ich an diese Dinge, die mich in meinen Spielen belustigten, zurückdenke, will es mir scheinen, als ob Nigromontanus sie nach einem besonderen Prinzip um sich versammelt hätte — und zwar nach dem des Vexierbildes. Ohne Zweifel wollte er durch die Häufung solcher

Gegenstände bestimmte Wirkungen hervorrufen. Übrigens handelte es sich nicht um Gegenstände allein; er schätzte die vexierende Kraft auch in der Schrift und gab mir zuweilen Bücher in die Hand, deren Prosa man verfolgen mußte wie einen Wildpfad, der über Wolfsgruben führt. Manche wiederum waren anders gestellt, etwa wie gemalte Plafonds, durch deren Öffnungen man Gestirne erblickte, so ein herrliches Ineditum über die Eleusinischen Mysterien, das aus dem geheimen Nachlaß von Fiorelli auf ihn gekommen war. Das färbte, wie so manche seiner Neigungen, auf mich ab; ich übernahm von ihm die Vorliebe für die verborgene Korrespondenz, die zwischen den Dingen besteht.

Was nun die Vexierbilder betrifft, so zielte er vor allem wohl auf die Erschütterung, die uns ergreift, wenn wir unvermutet in einem das andere sehen. Vielleicht gedachte er so die feinen Wurzeln zu lösen und abzusprengen, durch die unser Wesen dem Alltäglichen und Gewöhnlichen verhaftet ist. Es ist richtig — wenn wir das Vexierbild lösen, kann Verblüffung, Staunen, Schrecken, aber auch die Heiterkeit sich einstellen. Wo solche Eindrücke sich häufen, beginnen wir mit Vorsicht an die Dinge heranzugehen; wir betrachten selbst die einfachen Bausteine unserer Anschauung mit Aufmerksamkeit, mit Erwartung oder auch mit Mißtrauen. Das gerade mochte Nigromontanus beabsichtigen; seine Methodik war nicht wie die der hohen Schulen auf das Suchen, sondern auf das Finden gestimmt. So zeichnete ihn auch eine Art von Zutrauen aus, daß in jeden unserer Gänge, selbst den scheinbar absichtslosen und vergeblichen, gleich dem Kern der Nuß ein besonderes Ergebnis eingeschlossen sei; und er verlangte, daß man vor dem Einschlafen den Tag in der Erinnerung wie eine Muschel aufbräche.

Solche Übungen sollten darstellen, daß auch die Welt im Großen nach der Art eines Vexierbildes geordnet sei — daß ihre Geheimnisse auf der offenen Oberfläche dalägen, und es nur einer geringen Anpassung des Auges bedürfe, um die Fülle ihrer Schätze und Wunder zu sehen. Gern zitierte er den Spruch des Hesiod, daß die Götter den Menschen die Nahrung verbergen, und die Welt so fruchtbar sei, daß die Arbeit eines Tages für ein Jahr der Ernte ausreiche. So genüge auch ein Augenblick des Nachdenkens, um den Schlüssel zu Schatzkammern zu entdecken, aus denen man ein lebenlang zehren könne — und um das zu veranschaulichen, wies er auf jene einfachen Erfindungen hin, von denen später ein jeder sage, daß dergleichen auszudenken ein Kinderspiel gewesen sei. Gern verwies er auch auf die Phantasie: ihre Fruchtbarkeit sei ein Gleichnis der Weltfruchtbarkeit überhaupt, doch die Menschen lebten wie Verdurstende über Wasseradern von unerschöpflicher Kraft. Auch sagte er einmal, daß die Welt in ihren Elementen an uns ausgeliefert sei wie die vierundzwanzig Buchstaben — und je nach unserer Niederschrift wüchse sie in ihrem Bilde hervor. Freilich müsse man ein wahrer Autor und nicht nur ein Skriptor sein.

Hierauf kam er zu sprechen, als ich ihn auf einem seiner geomantischen Gänge am Rande des Harzgebirges begleitete, am geheimnisvollen Trakt entlang, auf dem die alten Wachttürme errichtet sind. Bei dieser Gelegenheit äußerte er sich vielleicht am deutlichsten über das, was er unter Methodik verstand. Wenn ich es recht erriet, begriff er unter ihr die Kunst der hohen Lebensführung, mit dem Unvergänglichen als Ziel. Ihr entsprach das hohe Bild der Welt, das in das gewöhnliche wie ein Vexierbild eingezeichnet ist — unfaßbar nah. Als das erste Zeichen des geglückten Anblickes sagte er Erstaunen und dann Heiterkeit voraus.

Wenn ich mich dessen entsinne, scheint es mir, als ob ich nicht im rechten Stande war, den solche Lehren voraussetzen. Wohl erfuhr auch ich die herrliche Erschütterung, die uns ergreift, wenn die Grenzen sich verwischen und verborgene Bedeutungen hervortreten — doch nur so, wie man im Fluge über fremde Gärten dahingleitet. So nahm ich am Leben als am hohen Spiele um den Augenblick des Glückes teil, und doch hatte Nigromontanus mich die Kunst gelehrt, nach der man stets gewinnt, sei es in der Zelle des Einsiedlers, sei es im stolzen Palast.

*Der Grünspecht*                                    *Überlingen*

Bei meinen ersten Gängen hatte ich den Eindruck, daß der Landschaft ein ungewöhnliches Leben innewohnt. Er führt sich wohl auf das Konzert der unzähligen Vögel zurück, von denen der See auf seiner Fläche und an seinen Ufern bevölkert ist. Je unbestimmter und feiner verteilt solche Wahrnehmungen sind, desto tiefer dringen sie ein — es gibt auch einen Äther der Heiterkeit.

Daß die Ufer auch im weiteren Umkreise ihrer Garten- und Rebhügel so reich an gefiedertem Leben sind, beruht ohne Zweifel auf dem sorgfältigen und fast parkmäßigen Anbau der Obstbäume, der das Land mit einem ausgedehnten, lockeren Bestande bedeckt. Hier im lichten Gehölz vereinen sich die Vorzüge des Waldes mit denen der Ebene; die beschwingten Gäste finden ein günstiges Mittel vor, das sowohl für den freien Flug als auch zur Deckung reichlich Gelegenheit gibt.

Oft bieten sich dem Auge die anmutigsten Bilder dar — etwa Felder, die von Goldammern wie von einem leuchtend gelben Gewebe bezogen sind, oder alte Birnstämme, an denen sich zugleich der zierliche Baumläufer, der mausartige Kleiber und viele bunte Meisen beschäftigen. Sogar die Raubvögel treten in Schwärmen auf, daher erblickt man bei den Gehöften zuweilen ausgediente Weinfässer, in die kleine Türen zur raschen Einflucht für die Küken geschnitten sind.

Zahlreich fliegt auch der Grünspecht auf und ab, und man hört sein spöttisches Gelächter nah und fern. Obwohl ich ihn schon häufig im Leben beobachtete, leuchtet mir doch erst jetzt sein eigentliches Wesen ein, und darüber hinaus vielleicht das der Spechte überhaupt. Es handelt sich hier um ein Tier, das während der Schöpfung an einem seltsamen Orte gestanden haben muß, nämlich dort, wo der Trennungsstrich zwischen Rhythmus und Melos auf das schärfste gezogen war. Auf diese Weise wurde in ihm ein Rhythmiker ersten Ranges geschaffen, und zwar von so hoher Begabung, daß für den Wohlklang nichts übrigblieb.

So kommt es, daß, bei welcher Beschäftigung man den Grünrock auch antreffe, man an seinen Bewegungen sogleich durch das Taktmäßige und streng Akzentuierte betroffen wird. Schon im Anflug erkennt man ihn von weitem an den betonten Hebungen und Senkungen, kein Vogel beschreibt eine so wellenförmige Flugbahn wie er. Dem entspricht die sprunghafte Art, in der er an den Baumstämmen hochfedert oder sie in Spiralen umkreist, und das taktierende Nicken mit dem Kopf. Dazu kommt der unmelodische Ruf, ein langgezogener, wiehernder Pfiff, den zahlreiche, gleichmäßige Einschnitte einkerben. Endlich und vor allem gehört hierher auch das bekannte Klopfen und Hämmern, mit dem er die Wälder erfüllt; im großen Konzert der Vögel hat er die Trommel erwählt.

Für den, der die Beziehungen kennt, die zwischen dem Rhythmus und den Gliedern, den Händen im besonderen, bestehen, wird die paarige Gegenständigkeit der Zehen von Aufschluß sein, von denen das vordere Paar verwachsen ist. Ebenso ist der Bau der Zunge bemerkenswert. Selbst in der grellen und hart abgesetzten Färbung des Gefieders tritt der Mangel an harmonischem Grundstoff deutlich hervor.

Das alles ließe sich bis in die Einzelheiten ausführen,

und solche Beziehungen leuchten mir immer deutlicher ein als die Betrachtungen, die etwa Darwin an die rote Haube der Spechte anknüpfte. Der Wert solcher Kombinationen liegt jedoch für mich auf ganz anderem Gebiet — sie sind eigentlich genereller oder besser aufschließender Natur, kleine Modelle einer anderen Art und Weise, die Dinge zu sehen. Ich habe den Eindruck, daß unsere Ausbildung an allen entscheidenden Punkten versagte, oder sich ihnen vielmehr nicht einmal näherte, und daß sie sich inzwischen noch verschlechtert hat. So mußte man etwa den Naturwissenschaftlern noch dankbar sein, daß sie gewissermaßen das Theologische im Nebenfach mitverwalteten; sie hatten da einen Kontakt, der immerhin noch besser schloß als der der Theologen selbst. Wer heute wirklich arbeiten, das heißt in das Niemandsland der Gedanken vordringen will, muß sich zunächst in allen Fakultäten das Handwerkszeug besorgen, um überhaupt anfangen zu können. Nietzsche hat darin recht, daß man heute im Sinne hoher Anforderungen mit dreißig Jahren noch ein Kind, ein Anfänger ist — aber auch mit vierzig ist man noch Gesell.

### Mut und Übermut                    An Bord

Auch was die Sprache betrifft, bringen wir im Leben manche Häutung hinter uns. Hier fällt mir auf, daß mir in den letzten Jahren in wachsendem Maße der Geschmack für gewisse, mit »Über« zusammengesetzte Wörter verlorengegangen ist. Ich meine damit nicht jene Bildungen, die wie das schöne *Überfluß* unter dem Zeichen des Füllhornes stehen, sondern jene anderen, denen der Wille ihre Färbung gibt.

Wo die Dinge wirklich gefährlich werden, lassen uns die Steigerungen bald im Stich, und bei schwankendem Boden begehren wir nicht, auf dem Kothurn zu stehen.

Der Mut ist eine so hohe Tugend, daß er nicht der Erhöhung bedarf, die sich im Lobe des Über-Mutes verbirgt. Die Vorstellungen vom Muskulösen, Vollblütigen und Unbedenklichen, das triumphierend den Kampfplatz des Lebens betritt, gehen aus den lüsternen Träumen der Schwindsüchtigen hervor.

Der Irrtum, der hier waltet, beruht darin, daß ein so blühender Zustand den höchsten Anstrengungen eher abträglich ist als förderlich. Dem entspricht die Tatsache, daß wir den wirklichen Entscheidungen meist erst dann ins Auge sehen, wenn die Lebenskraft zu erlöschen beginnt. Wir erreichen diese Kampfplätze wie Truppen, die bereits durch endlose Märsche, Hunger, Durst, Nachtwachen und Vorpostengefechte auf das äußerste ermüdet sind, und von denen dann erst die höchste Anstrengung, nämlich die des Sieges, gefordert wird. Sehr einfach spiegelt das Verhältnis sich im Leben selbst — der Tod tritt erst heran, wenn ihm Krankheit, Blutverlust oder Gewalt vorangegangen sind. An solchen Wendekreisen schwindet der Übermut gar bald dahin.

Ferner ist zu bedenken, daß der Übermut vor allem einen beweglichen, angreifenden Charakter besitzt. Auch muß man dabei doch wohl der Stärkere sein, wenn man nicht lächerlich werden will. Der Kernstoff des Mutes aber ist ohne Zweifel eher ruhender Natur; er wird im Beharrlichen, Standhaften und Unerschütterlichen erkannt. Als ein so beschaffenes Element tritt daher auch der Mut der höchsten Gefahr, etwa der unermeßlichen Übermacht gegenüber hervor.

Erstaunlich ist die strenge Ordnung, in der die Vorgänge sich abwickeln, wenn es unter solchen Bedingungen zum Zusammenstoß kommt. Diesem Zusammenstoße geht, wenn der Konflikt sich auf seiner vorbildlichen Höhe erhält, unter allen Umständen eine Maßnahme des Übermächtigen voran, und zwar die Aufforderung zur Kapitulation. Wie verschiedenartig auch diese Aufforderung sich darstelle, so kommt es doch auf die Unterschiede nicht an. Der Feldherr erwartet von dem kleinen Hauptmann, dessen Festung an seiner Vormarschstraße liegt, daß er sich bei ihm in ehrenvolle Kriegsgefangenschaft begibt. Der listige Tyrann begnügt sich mit einer Verneigung, und seine Knechte sind gewohnt, daß ihr Opfer den Staub vor ihnen küßt. Auch kann sich die Kapitulation fast unsichtbar, etwa durch Wahrung des Schweigens oder in der Annahme von Einkünften und Ehrungen vollziehen. Der Schlingen sind viele, und manche sind zierlich verdeckt, aber stets gleich ist die Art, in der sie sich zuschnüren. Worum es in Wirklichkeit geht, das wird sogleich im Falle der Verzögerung offenbar. Dann wird die Aufforderung dringender und dringender und erhebt sich gar bald zur Androhung tödlicher, vernichtender Gewalt.

Wenn der Geist diese Bedrohung verspürt, faßt ihn ein Augenblick der Schwäche an, dem unter Tausenden kaum einer widersteht. Aber in der Überwindung dieses Anfalles vollzieht sich ein seltener Akt — die Ausrichtung des Menschen auf das Unmögliche. Es ist hier kein noch so ferner Erfolg, an den das Auge sich heften könnte; der Blickpunkt fällt, gleich dem Schnittpunkt von Parallelen, in das Unendliche. Mit diesem Akt tritt der Kampf in eine andere Ordnung ein. Der Mensch gewinnt neue Kräfte, weil er der Schwere nicht mehr in so hohem Maße unterliegt. Dieser Zustrom gleicht einer Flut, die auf die tiefste Ebbe folgt wie durch ein aufgezogenes Wehr. Diese wunderbare Kräftigung verleiht auch dem Schwachen eine furchtbare Macht; sie wappnet ihn mit Geistergewalt.

Freilich verbirgt sich in diesen Verhältnissen nicht das Rezept, wie man als Unterlegener siegt. Es handelt sich hier vielmehr um Kräfte, welche, indem sie hervortreten, die Weltordnung an sich und in ihrem Kerne bestätigen, doch fast immer ohne zeitlichen Erfolg. So ragt auch der echte Nationalheld in das Schicksal seines Volkes ein, in seinen dunklen Zeiten auftretend, im Leben unerkannt, oft an den Feind verkauft und stets endend im einsamen Untergang. Immer aber wiederholen sich die Zeiten, in denen es des Beispiels und des Opfers eines einzelnen bedarf, um das Maß wiederherzustellen, nach dem der Mensch erzeugt und gebildet ist. Das findet sich in jeder großen Rangordnung angedeutet; so galt bei unseren Vorfahren als das allen Veränderungen entzogene Muster nicht etwa der Sieg des Schlachtenfürsten, sondern des Toten Tatenruhm — eine wundersam knappe Formel, die jeden, der Hang sich auszuzeichnen verspürt, sogleich entscheidend konfrontiert.

## In den Museen *Überlingen*

*In den Museen*            *Überlingen*

Der Besuch der Museen hat immer etwas Spannendes, und oft Beängstigendes. Zuweilen gibt es auch rührende Züge zu beobachten — etwa die Haltung, in welcher der atheistische Freidenker vor dem Abdruck des Archäopteryx steht, wie vor einer enthüllten Reliquie. Leider verfügen wir nicht über Begriffe, die der Schilderung solcher Beobachtungen angemessen sind, sonst böte eine Reise gleich der, auf welcher Pausanias im 2. Jahrhundert die Altertümer besuchte, gewiß gute Ausbeute. Wir kennen die Natur des Schauders nicht, der uns befällt, wenn der Astronom uns seine Lichtjahrzahlen nennt, oder der Archäolog das Stadttor einer unbekannten Metropole aus dem Schutt der Jahrtausende auferstehen läßt.

Leicht täuschen wir uns auch über die Macht und Ausdehnung, die der museale Trieb gewonnen hat und täglich gewinnt. Von dem ungeheuerlichen Appetit, der hier waltet, erhält man eine Vorstellung, wenn man die Art bedenkt, in der die Kirchen sich in Museen umwandeln. Es gibt heute Unzählige, die sie in keiner anderen als in musealer Absicht aufsuchen, und die Kirchen richten sich darauf ein. Auch können sie ihr eigenes Personal nicht dem Zeitgeist entziehen; es gibt eine unmerkliche Art, in der sich die Grenze verwischt, die den Küster vom Kustos trennt. Dem entspricht unter anderem eine merkwürdige Verwandlung der Reliquie aus einem sakralen in ein museales Instrument. So zeigt man hier auf der Reichenau einen uralten Krug, an dem Jahrhunderte hindurch kein Zweifel darüber möglich war, daß man ihn schon auf der Hochzeit zu Kana auftischte. Heute wird das als Kuriosum erwähnt; die Achtung, die man für ihn in Anspruch nimmt, gleicht eher der, die auch der Besitzer einer Vase aus der Ming-Dynastie erwarten darf.

Diese Verwandlung, die oft ein feines Auge erfordert, hat wie alle Dinge auch ihre politische Kehrseite. Staat und Kirche treffen sich heute im Musealen als auf einem gemeinsamen Foyer. Es ergeben sich Lagen, in welchen der Leviathan auf einen Bissen den Rest hinunterschlukken könnte, der im Laufe der Säkularisationen zurückgeblieben ist, wenn nicht ein gewisses Mißtrauen ihn zurückhielte. Auch erspart ihm eine Lösung, die keine Lücke hinterläßt, manche Verlegenheit; und eine weit geschicktere Anordnung, als die Trennung oder gar die Gewalt sie erreichen könnte, liegt darin, daß er der Kirche eine Art von Kustodenstellung offen hält. Als Bewahrerin der Altertümer, sei es von Gebäuden und Kunstwerken oder von Sitte und Gebrauch, rückt sie in ein eigentümliches Verhältnis ein, an dem eben der museale Charakter das Neuartige ist. Dieses Neuartige wiederum ist nur der zeitgemäße Ausdruck einer sich wiederholenden Konstellation, denn auch in den antiken Städten suchten die Reisenden halb vergessene Tempel auf und ließen sich dort uralte Dinge, etwa vom Himmel gefallene Dreifüße, vorweisen.

Nicht selten sieht man übrigens auch die alten Geschlechter in ein ähnliches Verhältnis eintreten. So finden wir heute nicht nur Fürsten, die auf ihren ererbten Schlössern kaum von Museums-Direktoren zu unterscheiden sind, sondern auch solche, deren Einkünfte sich auf den Eintrittsgeldern und dem Verzehr der in Massen zusammenströmenden Besucher aufbauen. Erst an solchen Orten gewinnt man die rechte Vorstellung von der Macht der Demokratie.

Dabei handelt es sich hier um Gebiete, die der museale Trieb nur im Nebenfache belegt. Vor allem bildet er im Natur- und Denkmalsschutze ein Tabu-Wesen vom größten Umfange aus, dessen Verwaltung sich eine wachsende Fülle von Gegenständen, vom winzigen Insekt bis zu den länderweiten Flächen der Nationalparks unterstellt. Es gibt heute Blumen, Bäume, Wälder, Moore, Häuser, Dörfer, Städte und Menschen, auf denen ein museales Tabu ruht, und auch die kühnste Phantasie wird nicht das Ziel ermessen, das diesem Drange, solche Massen von lebenden und toten Dingen ins Unantastbare zu ziehen, doch vorschweben muß.

Merkwürdig ist auch das unmittelbar Nebeneinander dieser unter Glasglocken gezogenen Welt mit einer anderen, in der die wilde Grausamkeit und der Umfang der Zerstörung kaum Grenzen mehr kennt. Beides steht doch wohl in einer geheimen Beziehung, und zwar insofern, als das Bewußtsein in übermächtiger Weise über die Reste konservativer und senatorischer Formen triumphiert. In diesem Sinne stellt der museale Trieb vielleicht eine Sicherung dar, welche die Zivilisation aus Eigenem abspaltet. Sie schafft auf solche Weise ihren wirtschaftlichen und technischen Verheerungen ein künstliches Gegengewicht, das oft, wie im Falle der Indianer oder des afrikanischen Großwildes, wenigstens Schutz vor der völligen Ausrottung gewährt. Das Verfahren kann großartige Formen annehmen, indem es weite Gebiete der vollen Bestrahlung durch das abstrakte Bewußtsein entzieht, seien es Landschaften, Gewerbe oder auch Nationalitäten innerhalb umfassender Einheiten. Oft trifft man hier auf kaum zu trennende Verwachsungen konservativer und konservatorischer Bestrebungen, obwohl an der Einheit des Grundprozesses kein Zweifel möglich ist.

Vielleicht tut man überhaupt gut, den Blick von den Absichten abzuwenden und die Gebilde so zu betrachten, als ob die Natur oder ein dunkler Instinkt sie hervorgetrieben hätte; und vor allem darf man sich nie auf die Erklärungen verlassen, durch die der Mensch von heute über seine Bestrebungen auszusagen sucht. In dieser Perspektive tritt die Verwandtschaft heraus, die unser museales Reich mit den großen Toten- und Gräberkulten besitzt, und die noch deutlicher werden dürfte, wenn man Teile der Sammlungen in unterirdische Räume verlegt. Im musealen Triebe offenbart sich die Todesseite unserer Wissenschaft — ein Hang, das Leben in das Ruhende und Unverletzliche einzubetten, und vielleicht auch der, einen ungeheuren und peinlich geordneten materiellen Katalog zu entwerfen, der ein getreues Abbild unseres Lebens und seiner entferntesten Regungen hinterläßt.

Dort, wo die Wissenschaft sich mit dem musealen Triebe verbindet, ist sie dem Willen abgewandt, und damit entfällt auch das Mißtrauen, das ihre in die Technik einschneidenden Zweige erfüllt; es gibt hier weder Patente noch Spionenfurcht. Wie sehr sich auch die Unannehmlichkeiten des Reisens vermehrt haben, so gesichert finden Austausch und Bewegung in der musealen Sphäre statt; auch trifft man überall ein gleichmäßiges Klima der Gesinnung und der Arbeitsweise an, wie es sonst nur die weithin über Länder und Reiche verstreuten Gebäude geistlicher Orden auszeichnete. In einer Welt, in der man sich bei Streitigkeiten über den sozialen Kontrakt nur allzubald die Hälse abschneidet, gibt es Orte, die von alledem so unberührt wie die Oase des Jupiter Amman geblieben sind.

Übrigens haben die Museen auch das mit den Gräbern

gemein, daß sich kaum je die Kritik an sie anheftet, wie man das an der Haltung und den Gesichtern ihrer Besucher leicht wahrnehmen wird. Im Willen zur Dauer liegt eine mächtige Kraft; man kann das körperlich spüren, wenn man einen Gegenstand in den Händen hält, der tausend Jahre unter menschlicher Betreuung stand, vor allem, wenn es sich dabei zugleich um eines der Meisterwerke handelt, in denen die Kunst kulminiert. In diesem Sinne sind die großen Sammlungen Zitadellen der Überzeugungskraft — und insofern von hohem verbindendem und erhaltendem Rang, als sich in ihnen die reinen Kristallisationen des menschlich-geselligen Zustandes zur¹ Schau stellen.

Diese Verhältnisse treten auch im negativen Abdruck deutlich hervor: wo die Dinge bis zum Äußersten gediehen sind, und wo die sonst tief unterdrückten Kräfte frei werden, die nicht dieser oder jener Form der Ordnung entgegen sind, sondern der Ordnung an sich. In solcher Zerrüttung kommt es neben der Zerstörung der Gefängnisse und der physischen Zwingburgen sogleich auch zum Brande der Bibliotheken und Sammlungen, in denen der Pöbel mit Recht Palladien der Gesittung erblickt. Der wahllose Bildersturm ist immer ein Anzeichen, daß die Einebnung eines hohen Zustandes droht. In Verbindung mit ihm wird man auf ganz bestimmte Enthüllungen stoßen, die ankünden, daß die Hefe zu schäumen beginnt. Zu ihnen gehört die Verehrung des Feuers, nicht in seiner leuchtenden, sondern in seiner brennenden Kraft, so im Wandel der Zeiten etwa als Fackel, als Petroleum oder als Dynamit. Als das untrügliche Kennzeichen dieses Zustandes darf man die Nachricht erblicken, daß die Gräber erbrochen und die Leichname auf den öffentlichen Plätzen zur Schau gestellt worden sind. Bei solchen Darbietungen handelt es sich nicht etwa lediglich um die dunklen Capriccios, in denen sich die Ausschweifung des menschlichen Geistes gefällt, sondern um ein Paroli, das diesem Geiste im ganzen geboten wird — denn die Grundlage des menschlichen Zustandes ist eben die Totenbestattung, und wer in dieser Beziehung zu scherzen beginnt, der schreckt gewiß vor nichts mehr zurück. Daher kann man sich auch die Wirkung solcher Schauspiele nicht stark genug vorstellen; sie löst die letzten Widerstände auf wie ein dunkler Strudel, der schreckliche Tiefen erreicht.

Zuweilen mag es indessen scheinen, als ob auch der verantwortliche Geist, wie etwa ein Burckhardt oder Winckelmann, den Wert der Erhaltung der großen Werke überschätzte, und daß sich vielleicht gerade in dieser Überschätzung ein dunkler Schmerz, ein geheimer Mangel an Zeugendem verbirgt. Andererseits wird man beobachten, daß gerade der schlechte Maler, insbesondere der Schwindler und Falschmünzer, mit dem Pöbel durch den gemeinsamen Haß gegen die großen Sammlungen verbunden ist; das Schöne soll aus der Welt verschwinden, damit das Häßliche als leidlich gelten kann. Überhaupt widersteht eine so mächtige Erscheinung wie unser bewahrender und sammelnder Trieb einer eindeutigen Erklärung durchaus; er gehört zu den großen Themen, in denen das Widersprechende sich verbindet wie in einer Landschaft, die ihre Tiefen und Oberflächen besitzt.

So hat, um das Beste zuletzt zu erwähnen, der museale Trieb gewiß auch seine stolze Seite, und zwar dort, wo er die Forschung berührt, die ja mit der Sammlung auf das engste verbunden ist. Hier ruht der Lebensfunke, der den Staub durchglüht — unsere große und hohe Frage an das Rätsel dieser Welt. Selbst das Entfernteste und Verflossenste läßt uns nicht ruhen, und unsere Teleskope, die gegen die Fixsterne gerichtet sind, unsere Netze, die sich in die Tiefsee senken, die Hacken, die den Schutt abräumen, der über verschollenen Städten, Theatern und Tempeln liegt — sie alle werden durch die Frage bewegt, ob denn auch dort und damals der innerste Kern des Lebens, die göttliche Kraft zu spüren ist, die auch uns bewohnt. Und aus je seltsameren und rätselhafteren Räumen, und sei es als ein mattestes Echo über Jahrtausende und eisige Zonen hinweg, uns die Antwort entgegenklingt, desto inniger werden wir durch sie beglückt.

## An der Zollstation                          *Überlingen*

Der Tod gleicht einem fremden Kontinent, über den niemand berichten wird, der ihn betrat. Seine Geheimnisse beschäftigen uns so stark, daß ihr Schatten den Weg verdunkelt, der dorthin führt — das heißt, wir unterscheiden zwischem dem Tode und dem *Sterben* nicht scharf genug. Diese Unterscheidung ist insofern von Wert, als vieles, was wir dem Tode zuschreiben, sich bereits im Sterben vollzieht, und als unsere Blicke und Vorstellungen in das Zwischenreich zuweilen noch eindringen. Wie fern uns der Tod auch liegt, so vermögen wir doch das Klima zu schmecken, das ihn umgibt.

Es gibt Fälle, die auf Messers Schneide stehen, und in denen der Mensch den Tod bereits gewahrt wie Klippen, die hinter der nahen Brandung stehen. Dann aber zieht das Leben wieder in ihn ein, wie in einem fast erkalteten Herde die Flamme von neuem erwacht. Solche Fälle gleichen einem falschen Alarm; und wie es Schiffe gibt, auf denen der Kapitän erst bei drohendem Sturm die Brücke betritt, so erscheint hier eine sonst verborgene Instanz und trifft ihre Vorkehrungen. Der Mensch besitzt Fähigkeiten, die er wie eine verschlossene Ordre mit sich führt; er verfügt über sie nicht eher, als er ihrer bedarf. Zu diesen Fähigkeiten gehört, daß er seine Lage erfaßt, und in der Tat ist das der Fall — nach einem Augenblick der Verblüffung geht der Annäherung des Todes Erkenntnis voraus.

Während wir ihm die Stirne kühlen, ist der Sterbende

bereits unendlich von uns entfernt — er weilt in Landschaften, die sich eröffnen, nachdem der Geist den flammenden Vorhang des Schmerzes durchschritten hat. Zeit und Raum als die beiden Keimblätter, zwischen denen das Leben erblüht, falten sich wieder ein, und in diesem Dahinschwinden der Bedingungen fällt dem inneren Auge eine neue Art der Anschauung zu. Nun erscheint ihm das Leben in einem neuen Sinn, ferner und deutlicher als sonst. Es wird übersichtlich wie ein Land auf der Landkarte, und seine Entwicklung, die sich über viele Jahre erstreckte, ist in ihrem Kerne zu erblicken wie die Linien der Hand. Der Mensch erfaßt seinen Wandel in der Perspektive des Notwendigen, zum ersten Male ohne Schatten und Licht. Auch tauchen weniger die Bilder wieder auf als die Essenz ihrer Inhalte — als ob nach einer Oper bei schon gefallenem Vorhange noch einmal im leeren Raume von einem unsichtbaren Orchester das Grundmotiv gespielt würde, einsam, tragisch, stolz und mit einer tödlichen Bedeutsamkeit. Er erfaßt eine neue Art, sein Leben zu lieben — ohne Erhaltungstrieb; und seine Gedanken gewinnen Souveränität, indem sie sich der Furcht entwinden, die alle Begriffe, alle Urteile trübt und beschwert.

Bereits hier entscheidet sich die Frage der Unsterblichkeit, die den Geist im Leben so ungemein beunruhigte. Das Außerordentliche der Lösung liegt darin, daß der Sterbende einen Punkt erreicht, an dem er wie von einem Grat die Landschaft des Lebens und des Todes überblickt — und er gewinnt vollkommene Sicherheit, indem er sich sowohl in der einen als in der anderen gewahrt. Er erfährt einen Aufenthalt, wie vor einer einsamen Zollstation im höchsten Gebirge, wo ihm die Scheidemünze der Erinnerung in Gold gewechselt wird. Sein Bewußtsein reicht vor wie ein Licht, bei dessen Scheine er erkennt, daß man ihn nicht hintergeht, sondern daß er Furcht gegen Sicherheit vertauscht.

In dieser Spanne, die zugleich zur Zeit und auch schon nicht mehr zur Zeit gehört, darf man auch die Bezirke vermuten, die von den Kulten als die Purgatorien geschildert sind. Es ist der Weg, auf dem die menschliche Würde ihre Wiederherstellung erfährt. Es gibt kein Leben, das sich ganz vor dem Niederen bewahrt hätte; niemand kommt ohne Einbuße davon. Nun aber gibt es kein Ausweichen mehr, wie in einem felsigen Engpasse, und auch kein Zögern, welche Hindernisse sich auch auftürmen. Der Tod regiert jetzt den Schritt, wie ein ferner Katarakt den Lauf der Strömung bestimmt. Der Mensch gleicht auf diesem einsamen Marsche, den nichts zu hindern vermag, einem Soldaten, der seinen Rang zurückgewinnen wird.

Wie dem Kinde Organe gegeben sind, welche die Geburt erleichtern und ermöglichen, so besitzt der Mensch auch Organe für den Tod, deren Bildung und Kräftigung zur theologischen Praxis gehört. Wo diese Kenntnis erlischt, verbreitet sich dem Tode gegenüber eine Art von Idiotie, die sich ebensowohl im Anwachsen der blinden Angst als auch einer ebenso blinden, mechanischen Todesverachtung verrät.

*Das Rotschwänzchen*                                   *Überlingen*

Während ich im Garten frühstückte, sah ich, wie aus dem Rotschwänzchen-Nest über meiner Schwelle ein Junges herabstürzte und tot auf dem Estrich blieb. Sein Leib war noch nackt, und die großen Augäpfel schimmerten dunkel durch die rosige Haut. Sie und der breite, fest geschlossene Schnabel gaben dem kleinen Leichnam einen frühreifen, schmerzlichen Zug.

Dieser jähe Absturz aus der Sicherheit in Nichts war um so eindringlicher, als mit ihm zugleich das Tierchen, ohne eine Spur zu hinterlassen, aus der Wahrnehmung der Eltern verschwand. Treulich kehrten sie in ihren klei-

nen Abständen mit Futter für die überlebenden Ge-
schwister zurück und flogen bei diesem Hin und Her oft
dicht, aber ohne eine Spur von Teilnahme, über das tote
Körperchen hinweg.

So machte ich schon häufig die Beobachtung, daß die
Tiere in einer anderen und wohl schärferen Weise für die
Wahrnehmung des Lebendigen eingerichtet sind als wir.
Der Tod verwandelt den Körper für sie sehr schnell in
einen Gegenstand; und es gibt Fälle, in denen die Alten
den Leichnam des Jungen sogleich in seiner Eigenschaft
als Nahrung wahrnehmen. Die Tiere befolgen demnach
auf das entschiedenste die den Leichen gewidmete Maxi-
me des Heraklit, von der ich übrigens annehme, daß sie
sich gegen den ägyptischen Totenkultus richtete. Ich
möchte daraus schließen, daß sie sich nicht als Bilder erfassen, sondern als Lebenserscheinungen — man muß
sich das Verhältnis etwa so vorstellen wie das unsere zu
einer elektrischen Lampe, die uns leuchtet, weil und solange Strom in ihr ist.

Der kleine Vorfall brachte mich auf einen Gedanken,
den ich als glücklich empfand. Ich möchte nämlich meinen, daß innerhalb eines Genistes der Gemeinsinn in
einer Weise entwickelt ist, der unsere Vorstellung über-
steigt. Entsprechend gering ausgebildet ist die Vereinze-
lung; wir müssen uns das Leben in solch einer kleinen
Familie als einen Zustand ausmalen, in dem das, was wir
den einzelnen nennen, in keiner Weise vorhanden ist. Daher gibt es hier auch keine Wahrnehmung des Todes in
unserem Sinn, und die Gedanken, mit denen ich vom
Frühstückstische aus den Unfall betrachtete, leuchteten
gleichsam auf einem anderen Stern.

Wenn es uns nun gelingt, einen solchen Befund zu erfassen, so dürfen wir sicher sein, daß er sich auch in unserem Leben verbirgt. Das ist in der Tat der Fall, wenn
auch nicht innerhalb der Familie. Wohl aber regiert diese
steinalte Art der Blindheit dort, wo wir sie vielleicht am

wenigsten vermuten — nämlich in bezug auf unser eigenes Ich. Wir selbst nehmen uns nicht als einzelne wahr, auch entzieht sich das Bild des eigenen Leichnams unserer Vorstellung. In unserer sehr verzweigten Ordnung ist das Ich die letzte Festung, in die die Lebensblindheit sich zurückgezogen hat, und von hier aus macht sie ihre Ausfälle.

Was nun zunächst den Leichnam betrifft, so mag die Behauptung müßig klingen, insofern sich allem Anschein nach Person und Gegenstand der Wahrnehmung ausschließen. Und doch ist das nicht durchaus der Fall. So berührte mich in dieser Hinsicht merkwürdig, was ich von einem jungen Soldaten hörte, dem im Kriege der Arm abgeschossen worden war. Er erzählte mir, daß er so völlig das Bewußtsein behalten hätte, daß er auf den Gedanken gekommen wäre, noch die Armbanduhr von seinem Arm zu lösen, den ein Granatsplitter wie durch einen Schnitt von ihm entfernt hatte. Aber gerade bei diesem Unterfangen merkte er, daß der Arm dazu nicht mehr zur Verfügung stand, und daß er seinen Verlust gar nicht erfaßt hatte. Der Tod ist eine weitere Abtrennung, durch die wir uns der Gesamtheit unserer Glieder entledigen. Dem entspricht, was in dem sehr aufschlußreichen tibetanischen Totenbuche berichtet wird. Nach ihm folgt dem Tode eine kurze Spanne der Bewußtlosigkeit, bald darauf aber kehrt der Abgeschiedene zum Sterbelager zurück, wo er erst aus den Klagen seiner Verwandten den neuen Stand, in dem er sich befindet, errät.

Im gleichen Maße sind wir unserem Leibe, ja selbst unserem Geiste gegenüber lebensblind. Hierauf beruht das oft Gespenstige am Spiegelbild. So entwickelt auch allein der Spiegel der Gesellschaft uns ein Bild dessen, was wir unsere Individualität zu nennen uns gewöhnt haben. Im Grunde aber ist alles uns in diesem Sinne Eigentümliche auf das äußerste von uns entfernt. Gerade unsere Zeit gewährt uns, und das ist kein Zufall, hierin neue

Einsichten. Vor kurzem erzählte mir Kubin, daß man ihn bei einigen seiner alltäglichen Verrichtungen gefilmt hätte, beim Frühstück, im Garten, am Arbeitstisch. Als die Wirkung dieses Filmes auf ihn bezeichnete er sehr gut »das Erstaunen darüber, daß man sich mit dem da sechzig Jahr verwechselte«.

Nicht nur unsere Augen, sondern unsere Sinne überhaupt gleichen darin den Spiegeln, daß sie nach außen gerichtet und blind auf ihrer Rückseite sind. Uns ist vom Auge das tapetum nigrum zugewandt. So leben wir im toten Winkel unser selbst. Unser Gesicht, unsere Bewegungen erscheinen uns im Film wie die eines Fremden; unsere Stimme, wie sie die Schallplatte wiedergibt, klingt uns unbekannt. Selbst unser einfaches Lichtbild setzt uns in Verlegenheit; wir erkennen es meist ungern als das unsere an. Als Ärzte können wir uns selbst nicht heilen; als Künstler, als Autoren besitzen wir kein Urteil über unseren Stil. Im Grund hält jeder seine Leistung für gut und ist nie über den Beifall erstaunt; mit demselben Recht hält jede Frau sich für schön. Wir fühlen uns immer identisch mit dem blinden Willen, mit der ungestalten Lebenskraft, die uns erfüllt — und doch wird unser Eigentümliches, unser Lebensstil nur von außen erkannt. Dieses Verhältnis ändert auch die große Begabung kaum ab; so ist es erstaunlich, wie oft gerade bedeutende Menschen ihre schwächsten Seiten bevorzugen. Der Grund liegt darin, daß sie den Teil ihrer Kunst am höchsten schätzen, der den Willen vor allem beschäftigte.

Und doch — wie sehr ein jeder, der sie erst erfaßte, diese Art von Lebensblindheit bestätigen wird, so stehen wir nicht völlig unter ihrem Bann. Das verrät schon die Tatsache, daß wir sie beschreiben können, und in diesem Ansprechen verbirgt sich ein wichtiger Akt. Auf der anderen Seite steht die klare, tiefe und gesonderte Erfassung des Lebens und seine Ordnung nach geistigen Verwandtschaften. Hier vermag der einzelne in der Tat den außerordentlichen Grad der Erleuchtung zu erreichen, in dem er sich selbst aus der Entfernung erblickt. Auf dieser Tugend beruhen das entwickelte Recht, der Staat und die große Geschichtsschreibung — als Wesenszüge der imperialen und völkerbezwingenden Macht, die sich im Cäsar vereinigen. Mit Recht spricht dieser hohe Mensch daher von sich in der dritten Person. Wenn *das* in unsere Historie nicht einspielte, würden wir leben wie die Termiten, deren Bauten eben doch nicht Staaten, sondern große Nester sind, in denen die Lebensblindheit regiert.

In diesem Sinne bleibt das »Erkenne dich selbst« der für uns alle gültige Wappenspruch. Denn immer verspürt ein jeder von uns den mächtigen Zug, mit dem die dunkle Tiefe der Lebensnacht ihn anzusaugen sucht. Es gibt ein gewaltiges, unter stets wechselnden Formen verhülltes Bestreben, das unser Leben ganz wieder einzufangen gedenkt in jene Gesetzmäßigkeit, die in den Genisten oder im Dunkel des Mutterschoßes herrscht. Hier gibt es kein Glück, keine Größe, kein Recht außerhalb der tiefen, blinden Zusammengehörigkeit.

Hier ruhen unsere Wurzeln; aber aus beidem ist unser Leben gewebt.

*Notizen zum Rotschwänzchen*                    *Leisnig*

Auf Grund dieser Betrachtung leuchtet mir unter anderem ein, warum die Natur im Falle des Kuckucks scheinbar so achtlos verfährt. Der Unterschied des jungen Kuckucks, der etwa beim Zaunkönig erwächst, von seinen Nistgenossen ist so außerordentlich, daß man die Gleichmütigkeit, mit der die Zieheltern die Unterschiebung hinnehmen, von jeher als Naturwunder betrachtete. Wenn freilich im Zaunkönigs-Nest die Insassen sich nicht als Lebensbilder, sondern als Lebenskräfte wahrnehmen, so kommt es auch ohne Zweifel für den Kuckuck weniger auf Bildähnlichkeit als auf andere Formen der Anpassung an.

Bei der Untersuchung unserer Synonyma gibt es noch viel zu entdecken; auch in der Philologie ließe sich eine Art von Zwillingsforschung ausbilden.

So ist das Wort Leichnam ohne Zweifel das Zauberwort, mit dem der Tote in ganz bestimmter Hinsicht bezeichnet wird. Ihm entspricht das römische Imago als das zauberhafte Lebensbild, das sich im Schreine des Körpers verbirgt. Bei der Leiche als der Bezeichnung des dem Verstorbenen bloß Ähnlichen kommt noch etwas Besonderes hinzu, nämlich die Vorstellung, daß diese Hülle wie ein verlassenes Gehäuse auf fremdartige Kräfte Anziehung übt. Der Tote wird daher auch bis zum Begräbnis auf besondere Weise gesichert und überwacht. Am Personal, das hier Dienst tut, beobachtet man ein eigentümliches Berufsgesicht.

Der Vokal Ei dient übrigens häufig als Anklang für Dinge, die nicht recht geheuer sind. Fast rein, wenn auch ein wenig sächsisch, hörte ich das in einem Beinamen, den man hier für verrufene Orte, wie etwa den jenseits der Mulde gelegenen Galgenberg gebraucht; man sagt, daß es dort »eiersch« sei.

Im Zusammenhang mit dem Spiegelbild möchte ich noch eine seltene Erscheinung berühren, deren Erwähnung indessen jeden, dem sie begegnete, sogleich ansprechen wird. Wenn wir, etwa auf der Straße oder vom Fenster aus, einen Unfall beobachteten, wird ein benommener Zustand sich unserer bemächtigen. Bleiben wir während solcher Befangenheit zufällig vor einem Spiegel stehen, so werden wir wahrnehmen, daß uns das Bewußtsein der Identität zwischen uns und unserem Spiegelbild verlorengegangen ist. Es blickt ein Fremder aus dem Glas. Es ist das ein Anzeichen dafür, daß wir tief in die Schicksalsflut eintauchten. Auch ist hier wohl einer der

Gründe zu suchen, aus denen bei Todesfällen die Spiegel im Hause verhängt wurden.

### Balearische Gänge                    *Puerto Pollensa Illa d'Or*

Nach dem Bade machte ich in einem Korkeichen-Wäldchen Rast, in dem weidende Schafe an den blühenden Myrten gerauft hatten. Noch schwebte ihre Witterung in der sonnigen Luft zwischen dem dornigen Unterholz, und schon sah ich wohl dreißig Paare von Pillendrehern, die ihren Wechsel aufräumten. Sie gehörten keiner der mir von Sizilien bekannten Arten an, sondern der breithalsigen Form des westlichen Mittelmeeres, die sich durch lackschwarze, tiefgestreifte Flügeldecken auszeichnet. Ihre Beschäftigung rief einen äußerst intelligenten, fast menschlichen Eindruck hervor, besonders wenn sie sich, um die große Kugel zu bewältigen, wie kleine Werkleute an ihr aufstellten. Ich beugte mich wie Gulliver tief auf ihre Arbeit herab, denn ihr geselliges Treiben legte die Täuschung so nahe, daß hier Sprache am Werke sei. Doch ich hörte in der warmen Morgenstille nur das leise Schürfen der gepanzerten Glieder und das trockene Schnurren der An- und Abfliegenden, das an das Geräusch eines winzigen Flugplatzes erinnerte. Zum ersten Male erfaßte ich hier auch die herrliche Form des fliegenden Tieres, wie sie die ägyptischen Reliefs darstellen.

Am Nachmittag suchte ich eine einsame Felsinsel auf, deren steiler, mit honigfarbener Wolfsmilch bewachsener Rücken sich aus den Feldern erhob. Überall hörte ich in den versengten Büschen Geräusch — nicht die gleichmäßig ziehende Windung der Schlangen, sondern das kurze, wühlende Rascheln der Eidechsen. Von ihnen bergen die Balearen köstliche Spielarten. Nachdem ich ein wenig auf einem Stein gewartet hatte, kamen sie auch hervor — oft so dicht, daß sie mir fast über den Fuß hinwegglitten. Besonders ergötzte mich eine, die plötzlich auf einer Baumwurzel erschien, von der sie den Schwanz wie eine Schleppe herabwehen ließ. Als sie ihren Kopf ein wenig zur Sonne erhob, blitzte ihre Kehle wie ein blauer Lapis im Licht.

Solche Begegnungen rufen ein Erschrecken in uns hervor — eine Art von Schwindel, wie sie die unmittelbare Nähe der Lebenstiefe erweckt. Auch treten die Tiere meist so leise und unvermerkt, wie Zauberbilder, in unsere Wahrnehmung ein. Dann geben sie uns in ihren Figuren, Tänzen und Spielen Vorstellungen von höchst geheimer, zwingender Art. Es scheint, daß jedem Tierbild ein Signal in unserem Innersten entspricht; und ich empfinde das um so heftiger, seit die Jagd mir kein Vergnügen mehr macht. Dennoch sind die Bande, die hier wirken, sehr verborgener Natur — man spürt sie, wie man den bedeutenden Inhalt eines versiegelten Briefes ahnt.

Auf dem Rückwege leuchtete mir ein prächtiger Farben-Vierklang ein: ein feuriger Geranienbusch, derart vor einer blau-weißen Mauer erwachsend, daß das grüne Laub vor der unteren blauen, die rote Blütenkrone vor der oberen weißen Mauerhälfte stand. Die Häuser ruhten so friedlich in der unbewegten Luft, jedes in einen zarten Rauchschleier gehüllt. Der Wanderer taucht in ihre Sphäre wie in Weihrauch-Ringe ein, da das duftende Holz der Bergkiefer die Herdfeuer speist.

Das Vergnügen dieser einsamen Gänge beruht gewiß auch darauf, daß man wie Bias »das Seine mit sich trägt«. Unser Bewußtsein begleitet uns gleich einem Kugelspiegel oder besser gleich einer Aura, deren Mittelpunkt wir sind. Die schönen Bilder dringen in diese Aura ein und erfahren in ihr eine atmosphärische Veränderung. So schreiten wir unter Zeichen wie unter Nordlichtern, Sonnenringen und Regenbögen dahin.

Diese erlesene Vermählung und Zeugung mit der Welt gehört zu den höchsten Genüssen, die uns beschieden sind. Die Erde ist unsere ewige Mutter und Frau, und wie von jeder Frau werden wir von ihr nach unserem Reichtum beschenkt.

## Der Hippopotamus                                    *Überlingen*

Man hatte mich nach Preston als Gutachter in einem Entmündigungs-Verfahren bestellt.

Wie ich sogleich erkannte, handelte es sich um einen jener Fälle, in denen die Kunst versagt, und bei denen die Diagnose die Prognose gleich einem unwiderruflichen Urteil umschließt — um das Auftreten einer Verwirrung, wie man sie bei Patienten in mittleren Jahren nicht selten beobachtet, und wie eine spezifische Sprachstörung sie ankündet. Das ist ein tödliches Vorzeichen.

Es dauerte unter diesen Umständen nicht lange, bis ich meines Amtes gewaltet hatte, und da die Post erst am nächsten Mittag fahren sollte, sah ich mich für einen vollen Tag in die mir unbekannte Stadt gebannt. Dergleichen kommt mir nun immer gelegen, denn nie fühlt sich mein Geist freier bewegt als im Gewirr der Häfen, wo fremdes Volk mich ameisenemsig umkreist. Diese illuminierte Stimmung stellt sich in besonderer Stärke ein, wo mir die Sprache der Bewohner unverständlich ist; so verbrachte ich, als ich mit Wellesley in Indien war, oft Wochen in erleuchteter Anschauung. Es mag das darauf beruhen, daß wir dann in höherem Maße auf unsere Augen angewiesen sind, und uns so das Leben in seiner Eigenschaft als Schauspiel deutlicher wird. Dann erscheint uns das menschlich-gesellige Treiben wie auf einer Bühne zugleich vereinfacht und vertieft. Seine Bilder sind von glühender Transparenz, und seine alltäglichen Vorgänge gewinnen geistige Kraft, als ob es sich nicht mehr um Erwerb und Verkehr handelte, sondern um zauberische Verrichtungen. Die Welt wird leichter und durchsichtiger, und zugleich bewegen wir uns kühner und freier, wie unsichtbare Wesen in ihr. So erschienen mir im Trubel orientalischer Bazare die Menschen und Dinge oft wie von sprühenden Fackeln beleuchtet und von lichtroter Farbe durchglüht.

In solche Rückblicke vertieft, streifte ich ziellos auf den Straßen und Plätzen umher, bis die Nebel aus dem Meere emporstiegen. Wenn wir einmal aus dem Vollen lebten, sind wir gegen Spleen und Langeweile für immer gefeit; die Erinnerung schützt uns wie ein Talisman vor den Angriffen der Zeit. So flossen die Stunden, bis die Kandelaber zu brennen begannen, wie im Traume vorbei, und da ich es liebe, mich solcher Tage durch ein Andenken zu vergewissern, bog ich in die Straße der Antiquare ein. Man findet dort Möbel, Kunstwerke und erlesenes Porzellan, dann aber auch billige Kuriositäten-Geschäfte, in denen seltsame Dinge verstauben, wie sie die Seeleute von ihren Fahrten mitbringen, getrocknete Igelfische, fremde Waffen und das Schiffchen in der Flasche, das in keinem von ihnen fehlt.

Um so mehr erstaunte ich, als ich in einem ihrer schmalen Fenster statt solcher Ladenhüter ein schönes Aquarell entdeckte, das in einem braunen Mahagoni-Rahmen hing, und dessen breiter, etwas vergilbter Rand eine Unterschrift trug. Ich entzifferte eine auf gestochenen Wolken schwebende Widmung des Künstlers an Lord Barrymore — wie die Jahreszahl vermuten ließ, handelte es sich um jenen Barrymore, der sich als orgiastischer Genosse des Prinzregenten früh ruiniert hatte. Das Bild stellte einen pommerschen Pachthof dar, eine kleine Wirtschaft, die inmitten reich begrünter Wiesenflächen lag. Das Haus war im Profil gemalt; sein flacher Schilfgiebel senkte sich auf der Wohnseite fast bis auf den Boden hinab, während er auf der anderen gleich der verschlissenen Eingangsdecke eines Zeltes aufgeschlagen war. Auf dieser Seite lag er flüchtig einem mit Heu gefüllten Speicher auf, aus dem ein Flußpferd wie aus einer offenen Raufe fraß. Die

Komposition des kleinen Gehöftes mit dem übermäßigen Tier hätte das Auge sicher verblüfft, wenn nicht der Wiesengrund so ausgedehnt gewesen wäre, daß man eine Reihe uralter Eichen, die ihn säumten, in winziger Verkürzung sah. Malerisch gab diese grüne Fläche der schiefergrauen Masse des Tieres ihr Gegengewicht, und auch logisch schien es in der Ordnung, inmitten so üppiger Weiden einen so kräftigen Fresser zu sehen.

Da solche Capriccios mir von jeher besser behagten als die üblichen Rennen und Fuchsjagden, trat ich in den Laden ein. Das Geschäft schien unlängst errichtet zu sein, denn sein Raum war von zahlreichen, noch ungeöffneten Kisten fast ausgefüllt. Auf einer von ihnen, die in Form einer menschlichen Figur gearbeitet war, saß der Antiquar, ein noch junger und für seinen Beruf seltsam geziert gekleideter Mann. Mein Eintritt unterbrach ihn im Studium eines Kupferstiches, dessen Signatur er durch ein rundes, in Silber gefaßtes Glas betrachtete. Eigentlich war ich kaum überrascht, als ich, nachdem ich das Aquarell erwähnt hatte, von ihm mit meinem Namen begrüßt wurde, der ja in den Königreichen sich eines gewissen Rufes erfreut. Auch daß er mich sogleich in seine Privaträume bat, erschien mir nur als Zeichen üblicher Höflichkeit.

Als ungewöhnlich dagegen empfand ich sogleich den Anblick von zwei livrierten Jägern, die ich, nachdem wir einen roten Vorhang durchschritten hatten, in wartender Haltung vor einem offenen Kaminfeuer sah. Wir waren in eine Art von Vorzimmer eingetreten, in dem neben einer Leiter noch andere Geräte abgestellt waren, wie sie der Tapezier zum Einrichten von Wohnungen benutzt. Von der Decke hing, wohl für den Kronleuchter, eine rote Kordel herab. Auch schienen die Maurerarbeiten noch nicht abgeschlossen zu sein, denn durch eine halbgeöffnete Kellertüre sah ich Mörtel und Kelle in einem hölzernen Trog.

Es lag indessen weniger am Ungewöhnlichen der Umstände, daß mir das Abenteuer verdächtig erschien, als an einer bestimmten Witterung in solchen Dingen, die selten trügt. Wenn sich der Zugriff auf die Person vorbereitet, spinnt sich ein Fluidum zwischen den Beteiligten aus, das niemand verkennt, der wie ich in den Palästen asiatischer Fürsten zu Gaste war, oder der in zwischen zwei bereitstehenden Heeren aufgeschlagenen Prunkzelten verhandelte. Später, im Anschlusse an meine Studien und im Umgange mit den Irren, hatte ich dann zur Ausbildung dieser Gabe vollauf Gelegenheit, denn hier versagt oft auch die schärfste Beobachtung, wenn nicht eine Art von Ahnungs-Vermögen sie unterstützt.

In solchen Lagen fand ich es immer geraten, die Handlungen leicht aneinander anschließen zu lassen, und jedes Zögern, jede Lücke zu vermeiden, in die ein Zwischenfall einspringen könnte, denn oft konnte ich beobachten, daß die freie Unbefangenheit uns dem Niederen gegenüber mit Bannkraft begabt. Ich säumte daher nicht, dem Antiquar zu folgen, der einen zweiten Vorhang und dahinter eine Flügeltüre öffnete, um sich dann mit einer Verbeugung zurückzuziehen.

Der Raum, in den er mich geführt hatte, erwies sich als ein von vielen Kerzen und Spiegeln erhellter und im Geschmack des vorigen Jahrhunderts gehaltener Salon, mit einem sehr schönen Watteau über dem hohen Kamin. In seiner Mitte erblickte ich eine Dame, die mich, fast wie im Puppenspiel, durch ein Zeichen näherzutreten aufforderte. Da die ruhigen Kerzen den Raum fast schattenlos bestrahlten, hatte ich in ihr sogleich die hochgestellte Frau erkannt, die damals schon seit langem vom Gerücht umwoben war, und deren Schicksal dann die Welt beschäftigte. Da ich auch die Livree bereits gesehen hatte, hielt ich es für angemessen, mich zu verbeugen, wie es sich in Königsschlössern gebührt. Die Fürstin dankte mir und lud mich ein, ihr gegenüber an einem Tische Platz zu nehmen, dessen Platte ein ovaler, mit bunten Blumen bemalter Spiegel bildete.

Trotz der bedenklichen Umstände meiner Einführung konnte ich, während wir uns eine gute Weile schweigend betrachteten, nicht meiner physiognomischen Neigung widerstehen, die sich in mir ausgebildet hat, seitdem ich an meinem Werke über die Mimik der geistigen Erkrankung arbeite, und die mir selbst oft lästig fällt und auch ein wenig lächerlich erscheint. Diese Neigung, der ich während meiner Gänge in Ostend oft lange Nächte fröne, indem ich Tausende von Gesichtern kaleidoskopisch an mir vorübergleiten lasse, hat mich mit einem fatalen Scharfblick begabt, der mich gewissermaßen bereits die Samenkörner des Absonderlichen erraten läßt. Diese Begabung ist mir um so peinlicher, als ich ganz im Gegensatz zu unserer Zeit im Regelrechten jene Größe sehe, durch die der Mensch dem Göttlichen verbunden bleibt. Leider ergeht es mir als Arzt oft wie in den bengalischen Waldungen, wo ich mit einem Gefühl der Furcht die Lebensbildung im eigenen Übermaß ersticken sah. So will es mir auch scheinen, daß die Fülle der Symptome uns gleich einem undurchdringlichen Dickicht von den Patienten trennt: wir wissen von der Gesundheit zu wenig und von den Krankheiten zu viel.

In diesem Falle freilich hätte vielleicht auch ein gröberer Blick die beginnende Unordnung erfaßt. Wie die Erfahrung indessen bestätigt, dauert es oft lange, bis das in seinem vollen Umfang wahrgenommen wird. Das ist insbesondere dort der Fall, wo die Ideen in ihrem Zusammenhange logisch, ja oft scharfsinnig sind, obwohl der Wahn sie beherrscht — einem Boote gleich, dessen Kurs mit navigatorischer Sicherheit auf die Brandung gerichtet ist. Wo sich der Patient zudem in hoher Stellung befindet, arbeitet die Kritik meist zögernder, und so hat der Mächtige vor dem kleinen Volk auch das voraus, daß er die Narrheit weiter treiben darf.

Als ein gutes Mittel zur physiognomischen Erfassung sehe ich die Gewohnheit mancher Astrologen an, welche der Ähnlichkeit mit Tieren nachforschen. In dieser Hinsicht fand ich hier das Schlangen-Ähnliche sehr ausgeprägt, und zwar so stark, daß ich bei seinem Anblick dieselbe Art von Neugier empfand wie damals, als ich im Garten meines Lusthauses der großen Naja begegnete, welche als die Schlangenkönigin betrachtet wird. Dieser Habitus pflegt sich beim Menschen dort zu bilden, wo sich mit ausgeprägten Jochbögen eine gewisse Schwäche der Maxillarpartie vereint, wie man das gerade in alten Familien nicht selten beobachten wird. Hier trat in fast beängstigender Weise eine wiegende Bewegung des Halses und der starre, doch spähende Blick der großen Augen hinzu.

Nicht minder stark fiel mir an dem Gesicht ein zweites Merkmal auf, das ich in meiner Physiognomik als die Versengung anspreche. Diesen Ausdruck finden wir dort, wo das Lebenslicht sich zur Flamme steigert, wie das im Laster oder auch im Unglück, am heftigsten jedoch in der Paarung dieser beiden Zustände empfunden wird. Man kann aus diesem Gesicht auf ganz bestimmte Vorgänge zurückschließen, insbesondere auf eine von wilder Eifersucht oder verschmähter Liebe erfüllte Zeit. Vor allem trifft man es bei Frauen an, auf deren Leben das nahende Alter bereits seine Schatten wirft.

Wenn ich das ein wenig weitschweifig schildere, so möchte ich zu meiner Entschuldigung anführen, daß unser Schweigen eine lange Zeit in Anspruch nahm. Auch treffen diese Bemerkungen recht gut die Stimmung, die mich in solchen Lagen belebt. Meine Gedanken reihen sich dann aneinander wie die Glockenschläge in einem Geläut, und doch ist jeder von ihnen durch eine schwingende Aura umhüllt. Auch muß ich gestehen, daß mir über der Lektüre dieses Gesichtes das Befremdliche der Lage fast entfiel. Immer galt es mir als Teil der hohen

Jagd, den Menschen ins Auge zu fassen und den Blick zu jenem Ungewissen und Ungestalten hinabzusenken, das sich leuchtend auf dem Grunde des Kraters bewegt. Aber da ich dies vermochte, hatte ich den Fall erraten, ehe noch ein Wort gefallen war.

Endlich schlug mein Gegenüber ein helles, einstudiertes Gelächter an: »Doktor, Sie müssen zugeben, daß ich die Köder kenne, mit denen man so seltene Fische fängt.«

»Und das mit Vergnügen, Hoheit — nichts hätte mich mit größerer Sicherheit verlockt als dieses Aquarell. Und da dem so ist, darf ich wohl annehmen, daß auch meine Rolle als Gutachter hier in Preston ihre geheime Vorgeschichte besitzt?«

»Wie ich sehe, lobt man Ihren Scharfsinn mit Recht; man sagt Ihnen ja auch nach, daß Sie ungewöhnliche Lehrmeister gehabt haben. Gerade deshalb führte ich diese Begegnung herbei, ich brauche Ihre ärztliche Hilfe in einer ungemein schwierigen Angelegenheit.«

»Meine Kunst wird Ihnen zu Gebote stehen. Doch wäre es nicht einfacher gewesen, in meinem Hause in Russel Square über mich zu verfügen, als auf solche, fast magische Art?«

»Auf keinen Fall, denn es wäre aus mehr als einem Grund höchst bedenklich, wenn man uns zusammen sähe. Und dann handelt es sich um Dinge von solcher Tragweite, daß man sie kaum der Luft anzuvertrauen wagt. Hören Sie zu.«

In diesem Augenblick, in dem sie sich zu meinem Ohr vorbeugte, fühlte ich, daß der Punkt gekommen war, um der Sache die Wendung zu geben, die ich beabsichtigte, und die meine Sicherheit erforderte. Ich erlaubte mir daher, die Hand auf den Arm der noch immer schönen Frau zu legen, einen Arm, kaum verhüllt durch den Ärmel aus blaßrotem Seidenflor, der sehr gut harmonierte zu einer erstaunlichen Robe aus perlgrauem Utrechter Sammet.

»Eure Hoheit mögen die Unterbrechung verzeihen,

aber die Konsultation begann bereits, als ich das Zimmer betrat. Ich darf wohl annehmen, daß Sie mir jetzt eines jener Geheimnisse zu eröffnen gedenken, wie sie den Großen dieser Erde vorbehalten sind, und deren Kenntnis nicht begrenzt genug gehalten werden kann. Einblicke dieser Art sind auch zum Glück zur Heilung nicht erforderlich. Auch sind die Mittel, die uns zu Gebote stehen, so beschaffen, daß uns der Bericht des Kranken nur als Quelle zweiten Ranges gilt; und es gibt Fälle, in denen wir die Absolution erteilen, ohne daß ihr die Beichte vorangegangen ist. Ich möchte Eure Hoheit daher bitten, sich auf jenen Teil der Dinge zu beschränken, der dem Arzte angemessen ist — das dürfte auch für die Maßnahmen günstiger sein.«

Während ich diese Worte sprach, bemerkte ich, wie das Gesicht der Fürstin sich langsam erheiterte. Übrigens ist das die Wirkung, welche der Arzt zunächst und hauptsächlich hervorrufen muß, wenn er seinen Namen verdient; die erste Heilkraft, die er spendet, muß in seiner Stimme verborgen sein. Heute, wo man sich wie im Mechanischen, so auch in der Heilkunst der Behandlung der Teile zuzuwenden beginnt, geraten die Elemente in Vergessenheit, und man darf das Volk nicht tadeln, wenn es auf seine Barbiere und Kräuterhexen schwört.

Was nun den Fall betrifft, so lag es mir gewiß fern zu glauben, daß sich heute noch die Dinge wie in den dänischen Schlössern abspielen, denn selbst die Zeit der eisernen Maske ist lange vorbei. Indessen leben wir in einem Zeitalter, in dem man die Scottschen Romane verschlingt und einen seltsamen Sinn für die schauspielerische Wiederholung besitzt. Auch da gibt es Unfälle — es ist, wer heute im Zweikampf fällt, so tot wie je, obwohl die ritterliche Lebensart seit langem entschwand. Vor allem aber war hier das, dessen Kenntnis, oder vielmehr dessen Aussprache ich vermeiden wollte, zugleich in die starken, zwingenden Lichter des Wahnes getaucht, und unter solchen Umständen besteht immer Gefahr, besonders wenn der Kranke über Machtmittel verfügt. Als bedrohlich empfand ich schon die fast übernatürliche Art, auf die ich zitiert worden war, und so besaß ich zur Zurückhaltung Gründe genug. In Ländern, in denen es sowohl in den öffentlichen als auch in den privaten Gebäuden zahlreiche Räume gibt, die nur unter Todesgefahr zu betreten sind, gewinnt man eine gute Schule in der Diskretion.

Nachdem meine Patientin mir sehr aufmerksam und, wie gesagt, mit wachsender Heiterkeit gelauscht hatte, sah ich sie eine gute Weile nachdenklich im Raume auf- und abschreiten, wobei die wiegende Bewegung ihres Kopfes sich auf sehr graziöse Weise dem Körper mitteilte. Endlich zog sie an der seidenen Klingelschnur, die neben der Türe hing. Es erschien der junge Antiquar, dem sie mit leiser Stimme einige Aufträge erteilte, ohne daß ich mehr als das italienische Wort Presto verstand. Gleich darauf hörte ich im Vorzimmer Geräusch. Sodann kehrte sie an den Spiegeltisch zurück und legte nun ihrerseits die Hand auf meinen Arm.

»Unter diesen Umständen, mein Herr, ist der Dienst, den Sie mir erweisen könnten, bedeutender, als ich gedacht habe. Was ich ihnen jetzt mitzuteilen habe, ist schnell gesagt, obgleich auch dieses Wenige auszusprechen mich peinlich berührt. Da man sich dem Arzte jedoch auch körperlich ohne Hüllen zeigt — — —«

»Sprechen Sie ohne Zurückhaltung, Madame.«

»Nun gut. Nach jenem — — — nach jenem angedeuteten Ereignisse entwickelten sich unvorhergesehene Störungen, die mich zunächst nur wenig und dann immer stärker beunruhigten. Seit kurzem habe ich ein Gefühl wie in einem schnell sinkenden Schiff — — — Doktor, ich kenne Augenblicke, in denen alles zu flackern beginnt, und wenn jemand helfen kann, dann sind es Sie.«

»Ich nehme an, daß Sie auch mit dem Nachtschlaf nicht recht zufrieden sind.«

»Sehr unzufrieden sogar, aber halten sie mich nicht für skrupulös. Schon mit vierzehn genoß ich die Freiheit köstlicher Nachtstunden bei verbotener Lektüre von Lukianischer Art, und selbst Duncans Geist würde mich nicht beunruhigen. Es gibt jedoch Dinge, die bösartiger sind, Vorgänge gleichsam mechanischer Art, wie bei einer Automate, die zu schnurren beginnt.«

»Haben Sie das Gefühl, daß man in Ihrer Umgebung auf diese Krisen bereits aufmerksam geworden ist?«

»Eigentlich kaum, ich konnte auch Migräne vorschützen. Indessen habe ich bei jedem Gespräch, bei jedem Empfang die Vorstellung, mich in mit Pulver gefüllten Räumen zu bewegen, in denen man Funken schlägt, und das um so heftiger, in je erleseneren Kreisen ich mich aufhalte. Das Ganze hat freilich auch den ridikülen Beigeschmack, der unser Leben wie ein schlechtes Gewürz durchdringt, und gerade das erfüllt mich oft mit reißendem Zorn. Als ich zuerst an das — — — Ereignis dachte, war das nicht mehr als eine Erinnerung unter Erinnerungen aller Art, wie ein besonderer Fisch, der hin und wieder an der Oberfläche erscheint. Vielleicht kam es daher, daß ich gerade *diese* Erinnerung zu unterdrücken suchte, daß ihr Auftauchen mich zu befremden begann. Ich bemerkte, daß sich eine Art von Selbstgesprächen an diese Anstrengungen heftete, zunächst vereinzelte Worte, dann Sätze und zuletzt Ausbrüche von flammender, schreiender Wut. Dabei stellte sich die Sucht, schmutzige Worte zu gebrauchen, ein — schmutziger, als man sie je in den Fischhallen oder in Newgate vor den Hinrichtungen hört. Ja, ich habe in mir das Talent entdeckt, Verwünschungen zu bilden, die man auch in den Kloaken nicht kennt, gleichsam als ob noch unbekannte Quellen des Schmutzes in mir mündeten— — —«

»Sprechen Sie weiter, Madame.«

»Auch will es mir scheinen, als ob diese Massen sich in mir anstauen, wie man das vor Mühlwehren beobachtet.

Daher nehme ich jede Gelegenheit wahr, mich durch heimlich ausgestoßene Verwünschungen dieser Last zu entledigen, schreibe derartiges auch in Briefe, die ich dann anzünde. Nach Tagen jedoch, an denen das Zeremoniell mich vom Morgen bis zum Abend unter Augen stellte, fühle ich eine Art von Lava in mir anschwellen. So kam es vor kurzem, in der Nacht zum ersten Mai, zu einem schrecklichen Ausbruche, bei dem ich mir fremdartig war. Ich habe mich um Mitternacht schwebend im großen Spiegel meines Ankleideraumes gesehen, eine Kerze in der Hand, mit Schaum vor dem Munde und furchtbar gesträubtem Haar. Seitdem habe ich auch das Gefühl, eines besonders eindringlichen Blickes teilhaftig geworden zu sein. So empfinde ich in den Gesichtern, in den Stimmen das Niedere, und jedes verbindliche Wort, jede höfische Geste erscheint mir als allzu flüchtig, allzu lässig aufgetragene Lüge, die ein geheimes Einverständnis überdeckt. Dieses Mißverhältnis wird um so deutlicher, je glänzender die Pracht der Roben und Uniformen strahlt. Wenn die Gesandten ihre Fremden von Bedeutung präsentieren, oder an der gedeckten Prunktafel überkommt mich die Lust, die Kleider herunterzureißen und einen Toast zu spenden, der die Eingeweide der Erde entblößt. Aber nicht das ist es, Doktor, was mich in Unruhe versetzt, denn schon als Kind fühlte ich, wenn ich ein köstliches Glas in den Händen hielt, das Gelüst, es auf den Estrich zu schleudern, und nie bestieg ich eine Klippe oder einen Turm, ohne daß eine geheime Stimme mich hinabzuspringen aufforderte. Aber jenseits davon ist noch ein anderes, Fremdes, das mit diesem spielt wie die Katze mit der Maus. Nicht das, was ich denke, ist es, was mir Grauen erregt, sondern ich frage Sie: was soll ich tun, wenn es wie in jener Nacht wieder über mich kommt?«

Nachdem ich den Bericht, der noch ein wenig umfangreicher war, gehört hatte, fielen wir in unser Schweigen zurück. Ich betrachtete lange die köstlichen Perlen, die auf dem Teppich verstreut lagen, denn die Fürstin hatte, als sie den Anfall erwähnte, nach ihrem Halsband gegriffen, dessen Faden unter ihrer Hand gerissen war. Ehe auf den Malediven oder auf Bahrein ein einziges Stück von solcher Größe erbeutet wird, siechen zwei Perlen-Sklaven an der Auszehrung dahin, und der dritte wird vom Schwertfisch gespießt.

Gewiß war es nicht die an mich gerichtete Frage, die meine Gedanken beschäftigte. Es sind meist recht verschiedene Dinge, die den Patienten und den Arzt beunruhigen — so war Freund Wallmoden, als ich ihm den Abszeß kurierte, vor allem über seinen Teint bekümmert, den er ein wenig safranfarbig fand. Es scheint mir so bezeichnend für den Menschen, was ich oft beobachtete: daß ihm die geistige Bedrohung meist erst dort einleuchtet, wo er sich zugleich im *Willen* getroffen fühlt. Für den Arzt dagegen macht es kaum einen Unterschied, ob der Kranke den Wahn in sich verbirgt, oder ob er sich von außerhalb getrieben glaubt. Das eine wie das andere wird an der Wurzel geheilt. Theoretisch freilich bleibt der seltsame Augenblick, in dem der Wille uns im Stich zu lassen scheint, von hoher Bedeutung, denn auch unsere geistige Kraft besitzt, ganz ähnlich wie der Muskelzug, ihren willkürlichen und ihren unwillkürlichen Trakt, und wer die Regeln kennt, nach denen beide ineinanderspielen wie Mond- und Sonnenflut, hat einen Grad der Kunst erreicht, von dem man sich bei uns nichts träumen läßt. Im vertrauten Verkehr mit Männern, die ihrem Atem und ihrem Herzschlage gebieten, und deren Haut kein Feuer versehrt, lernte ich mehr als in Hunters anatomischem Theater — und ich lernte dort viel. Hierauf beruhen die Spontanheilungen der Fallsucht und anderer Krankheiten, die meinen Ruf begründeten, dessen einfaches Geheimnis darin besteht, daß ich dem Kranken die Herrschaft über gewisse Teile seines vegetativen Systems in die Hand spiele.

So versteht sich, daß mich Erscheinungen nicht befremden konnten, die ich oft genug unter den Gaukeleien von Derwischen, gelben Bettelmönchen oder scharf duftenden Cappuccinis wie Rauch dahinschwinden sah. Solche Kuren schlagen in die Praxis bocksbärtiger Priesterschaften ein, deren Mysterium seit jeher den Sinn des einfachen Volkes und seiner Frauen erbaut. Aber auch abgesehen davon, daß diese Störung mir nach Art und Herkunft deutlich ist, fehlt es mir in ihrer Behandlung nicht an Erfahrungen — gehört doch gerade sie gewissermaßen dem Bestande unserer nationalen Übel an. So taucht ihr Motiv denn jedesmal bei meinen nächtlichen Gängen in mir auf, wenn ich hinüberwechsele von den westlichen Palästen in jene Viertel, in denen das Elend mit der Gier den finsteren Gegenpol der Macht umkreist. Das ist das Doppelspiel, das auch in unserer Dichtung wiederkehrt, in der der Geist sich wie in einem silbernen und einem schwarzen Spiegel reflektiert. Da ist es weiter nicht verwunderlich, daß wir es dort anklingen hören, wo der einzelne in Verwirrung gerät; und dem Eingeweihten sind die geheimen, an die Lupercalien des italienischen Faunus erinnernden Feste bekannt, in denen Zirkel unserer Gesellschaft ausschweifen. Weit davon entfernt, solche Schauspiele, wie sie in Carlton-House ihr trauriges Vorbild finden, zu billigen, verdanke ich ihnen doch manche Einsicht, da auch hier das Hohe und das Niedere seltsam ineinander einspielen. Oft scheint es mir, als ob sich im Exzeß das Negativum einer Tugend spiegelte — ich meine, jener inneren Distance, die uns zur Herrschaft über Völker legitimiert. Spät, wenn ich von der alten Londonbrücke die dunkle Flut betrachte, darein die hohen Bögen aus grauem Stein gegründet sind, spüre ich, wie ein Hauch von Stolz und Größe mir um die Schläfen streicht. Dann weht mich ein Schauer an, und gern werfe ich eine Kupfermünze in die nächtliche, flimmernde Tiefe hinab.

Doch ich will nicht abschweifen. Oft ragt das Leiden wie ein Stigma in die Körperwelt hinein, und nicht der Arzt ist der Berufene. Indessen erkannte ich die Lage, in der ich mich befand, und ich vermochte, was man von mir erwartete. So erteilte ich denn meine Anweisungen.

»Es ehrt mich, Hoheit, daß ich Ihnen dienen kann. Vor allem rate ich zur raschen Übersiedelung nach Cheltenham; es trifft sich gut, daß dort die Badezeit noch nicht begonnen hat. Dort werden Sie die Tage zubringen, indem Sie sowohl in der Einsamkeit als auch in der Geselligkeit Diät halten. Weisen Sie den Trieb zum Selbstgespräch zurück, jedoch ohne Anstrengung. Wenn der Zwang in Ihnen allzu mächtig wird, so sprechen Sie mit mäßig lauter Stimme den Euphon, den ich hier aufschreibe. Sollten Sie dagegen in Gesellschaft sein, so bitte ich Sie, ihn im Geist zu rezitieren, während Sie ihr Halsband mit der Hand anrühren. Ersetzen Sie für diese Zeit die Perlen durch die Frucht der Wassernuß. Ich glaube jedoch kaum, daß solche Zustände sich einstellen, wenn Eure Hoheit bei Empfängen den Fondants, die ich verordne, zusprechen. Sie legen der Zunge eine Art von Zügel an; auch lasse ich ihnen eine Droge beimischen, die den Nachtschlaf stärkt. Insbesondere empfehle ich den Gebrauch der Räucherstäbchen, die während der Nacht auf irdenen Tellern zu verbrennen, und über Tag verschwenderisch den offenen Feuern zuzuführen sind. Ich lasse alles Nötige chiffriert in meiner kleinen Offizin bereitstellen, die Mister Morrison in seiner Apotheke unterhält. Auch werde ich ein Punktierbuch beifügen, wie man es in den geistlichen Orden zur Gewissensprüfung führt, und wie ich es für Kranke, die von mir entfernt leben, als eine Art von geistigem Spiegel einrichte. Bei Befolgung dieser Ratschläge kann ich versprechen, daß die Beunruhigung im Laufe eines Monats weicht. Endlich würde ich es für günstig halten, wenn Eure Hoheit einen unserer kleinen Landpfarrer als Sekretär heranzögen. Man findet dort vortreffliche Naturen, die es wohl mit den Antiquaren aufnehmen.«

Nachdem ich meine Ordination im einzelnen erläutert hatte, erteilte mir die Fürstin, sich erhebend, die Erlaubnis, mich zurückzuziehen. Fast schien es mir, als ob sie mehr erraten hätte, als ich beabsichtigte, denn sie erstaunte mich, indem sie meinen Gruß durch jene altertümliche und höfische Verneigung, bei der ein Knie und eine Hand den Boden streift, erwiderte. Vielleicht war das auch nur die Geste, die ihr Stolz gebot. Bei diesem Kompliment nahm sie die solitäre Perle des Kolliers vom Boden auf, eine reine Kugel von der Größe einer Marmorkirsche und von herrlichem Farbenspiel. Auf diese Weise wurde mir ein Zierstück übereignet, wie selbst Lord Clive kein schöneres erbeutete.

Als mich der Antiquar hinausgeleitete, bemerkte ich, daß man das Vorzimmer bereits geräumt hatte. Das Feuer war erloschen, die Kellertür geschlossen, es fehlten die Leiter und die Leuchterschnur, und auch die Jäger lehnten nicht mehr am Kamin. Der Raum war leer wie eine Bühne, wenn das Spiel geschlossen ist. Es ist nicht die Begegnung mit dem Sonderbaren, was mich bei meiner Arbeit immer wieder überrascht. Weit seltsamer erscheint mir, daß jeder Wahn so viele Helfer findet, wie es ihm beliebt. Da unsere alte Welt trotzdem so unbeirrbar ihren Gang verfolgt, kann ich nicht zweifeln, daß sie nach einem hohen Plan geordnet ist.

Es ist nicht nur die königliche Perle, die mich, wenn ich sie zur Nacht bei gutem Kerzenlicht betrachte, an die Nebel von Preston gemahnt. Vielleicht sechs Wochen später gab man in meinem Stadthaus eine große, flache Kiste ab, in der ich wohlverpackt das Aquarell vom Pommerschen Pachthofe fand. Ich hänge es, nicht gerade über meinen Arbeitsplatz, doch auch nicht allzuweit entfernt von ihm, an einer festen roten Kordel über den Kamin. Zuweilen kann ich beobachten, wie einer meiner Gäste aufmerksam daran studiert und sich endlich, wie vor einer Augentäuschung, abwendet. Zu ihnen gehört auch Freund Wallmoden, der allerdings seit dem Abszeß ein wenig skrupulös geworden ist. Daher pflege ich ihm auch nicht abzustreiten, daß das Bild zu den bizarren Kunstwerken gehört. So darf ich verschweigen, daß die Dissonanzen unserer schönen Welt mich oft verlockten, gleich vergitterten Portalen zu den höheren Ringen ihrer Harmonie — und daß ich die Gefahr als Wegzoll billig fand.

### Die Aprikose                                    *Genf*

Kurz hinter Lausanne, im rollenden Zuge, fielen mir die Augen zu. Die Geschichte einer Ehe, von der ich träumte, wurde zunächst in Worten gehört. Dann aber — es handelte sich um den Beginn eines Zerwürfnisses — traten die Verhältnisse sichtbar hervor, und zwar in der Weise, daß vor den Augen eine bunte Frucht erschien, die sich langsam an ihrem Stiele zu drehen begann. Ihre Farbe spielte vom reifen Gelb in ein Violett, das mit dunkleren Punkten gesprenkelt war. Aus dem Grade der Verfärbung, sowie aus der Anzahl der Punkte und aus ihrer Lage zueinander wurde, ohne daß es eines Wortes bedurft hätte, der weitere Verlauf der Dinge den Augen offenbar. Mit höchster Deutlichkeit war so nicht nur der Vorgang selbst in allen seinen Einzelheiten, sondern auch sein geheimer Sinn zu schauen, wie von einem Notenblatte die Melodie zu lesen ist.

Merkwürdig war, daß das Bild, obwohl eigentlich traurig, mich erheiterte, was wohl darauf beruht, daß es eine menschliche Beziehung von ihrer notwendigen oder — wie ein Maler verstehen würde — von ihrer malerischen Seite aus darstellte. Dabei hatte ich den Eindruck, daß es kaum längere Zeit beanspruchte, als das Heben und Senken der Augenlider währt.

Ganz allgemein ließe sich hier noch anknüpfen, wie
günstig das jähe Erwachen der Erinnerung an Traumbilder ist. Eine schöne Entsprechung dafür bot sich mir
heute bei Aïn Diab dar, dessen öde Gefilde ich während
der Mittagsstunden auf der Jagd nach Höhlentieren
durchwanderte. Der rote, rissige Boden, auf dem jetzt,
Ende Dezember, die weißen Narzissen in leuchtenden
Sträußen blühen, ist dort mit großen Steinen besät. Da
diese Blöcke aus tuffartigen Kalken gebildet sind, lassen
sie sich mit leichter Mühe umwenden. Wenn man Glück
hat, entdeckt man unter ihnen einen mächtigen blauen
Carabus, der nur im Bannkreise von Casablanca gefunden wird — auf jeden Fall aber mannigfaltiges Getier,
das sich dort den sengenden Strahlen der Sonne entzieht.
So sah ich, neben vielem anderen, einen sandfarbigen
Gecko, eine sehr schmale bunte, wie eine Peitschenschnur
zusammengeflochtene Schlange und den großen maureta-
nischen Skorpion.

Es kommt nun sehr darauf an, den Stein mit einer
schnellen Bewegung umzudrehen. Die unter ihm versammelte Gesellschaft behält so, durch den jähen Einfall des
Lichtes erstarrt, für eine kurze Weile ihre Lage bei, so
daß man sie ins Auge fassen kann. Wenn man den Block
dagegen langsam wendet, findet sie Zeit, sich durch hundert Ritzen und Schlupflöcher davonzustehlen, und ein
letztes, undeutliches Huschen ist vielleicht das einzige,
was der Blick erhascht.

Genau in derselben Weise gleicht das jähe Erwachen
einem schnell aufgezogenen Vorhange. Man merkt da
erst, was für eine seltsame Gesellschaft man über Nacht
zu Gaste hat. Es handelt sich hier um eine besondere
Art des Sehens, deren wir nur für eine kurze Weile fähig
sind — vielleicht nicht länger, als wir aus dem Schlafe
aufgefahren, halb aufgerichtet im Dunkel verharren.

Dann verlieren sich die Figuren, und jeder kennt das angestrengte Bemühen, mit dem man diese oder jene Einzelheit zurückzurufen sucht.

In besonderen Fällen mag es auch möglich sein, daß ein Mensch über diese Art des Einblickes länger und nach Belieben verfügt. Eine solche Begabung verrät sich etwa in den Bildern des Hieronymus Bosch. Man hat das Gefühl, daß das Gelichter, das man dort bei seinem Treiben belauscht, sich sogleich verflüchtigen würde, wenn es bemerkte, daß ein Menschenauge auf ihm ruht. Der Blick erspäht es wie durch die geschlossene Decke eines Gewölbes hindurch.

Auch gibt es außergewöhnliche Lagen, in denen der Mensch, obgleich er bereits erwachte, innerhalb dieses Gewölbes verharrt. Das kann vor allem dann geschehen, wenn das Erwachen zugleich jäh und schrecklich ist. Wir schlagen die Augen auf und sehen, daß unser Haus in Flammen steht. Wir erheben uns und schreiten im Helltraum durch brennende Flure und Treppen zum Tore hinab. Während wir fast schwebend, ohne ein Gefühl der Schwere, uns bewegen, begleiten uns zu unserer Seite das Entsetzen und eine Art von Lust.

Das ist einer der seltenen Zustände, in denen der Mensch geistergleich agiert. Medea stelle ich mir gern in dieser schrecklichen Erhöhung vor. Hier vertauschen sich nicht nur Wachsein und Traum, sondern auch die Kräfte und Äußerungen des Gefühls, gleich den Vorzeichen in der höheren Mathematik. So Lachen und Weinen auf eine grausige Art.

Immer wieder werden Tragödien geschrieben, deren Verfasser in offenbarer Unkenntnis der tragischen Elemente dahinleben. So gleichen ihre Charaktere dem von der Hand des Blinden durch die Schablone gepinselten Bild.

Man hat das Wissen vom Traum im Laufe der Zeiten den verschiedensten Disziplinen unterstellt, so der Mantik, der Symbolik, der Medizin und zuletzt der Psychologie. Der Versuch, den Traum zur Physik in Beziehung zu setzen, erscheint dem Geist vielleicht noch sonderbar und fern. Und doch wird er hier eine Ausbeute finden, die ihn überrascht und wohl auch erschreckt.

Es scheint, daß die Traumwelt von einer dichten Kapsel oder von einer Camera obscura umschlossen ist, innerhalb deren die Bilder besonderen Regeln unterworfen sind. Der Eintritt des Tageslichtes oder des Bewußtseins ruft zunächst Erstarrung, und sodann Zerstörung der Gebilde hervor. Zwischen dem hellen und dem dunklen Reiche herrschen Beziehungen, die den fotografischen ähnlich sind. So wird man finden, daß der momentane Einfall des Bewußtseins der Erinnerung an Traumbilder günstiger als das allmähliche Erwachen ist. Wenn man in der Nacht durch einen Traum erwachte und über ihn sann, wird er auch am Morgen leichter gegenwärtig sein.

Solche Erinnerungen gleichen freilich niemals denen, die sich auf unser Wachsein beziehen. Es haftet ihnen eine merkwürdige Hinfälligkeit an. Das Tageslicht vermag ihnen die Farben auszuziehen, so daß sie oft nach einer Stunde schon so blaß wie unbeschriebene Blätter oder wie schlecht fixierte Filme geworden sind. Dann kann ein Traum, den man am Morgen so fest wie jede andere Sache in den bewußten Bestand aufgenommen zu haben meinte, bereits am Mittag vergessen sein. Es sind das Farben von besonderer, vergänglicher Art, Schriftzeichen aus sympathetischer Tinte, die auf unbegreifliche Weise verschwindet oder sichtbar wird.

Aufschlußreich ist auch folgendes: es kommt tagsüber nicht selten vor, daß ein vereinzeltes Traumstück an uns vorüberschwebt, gleich dem Zipfel eines Gewandes, den unser Sinn sogleich zu ergreifen sucht. Sowie wir jedoch darüber nachdenken, verschwinden solche Vorstellungen wie Rauch, und das um so eher, je stärker wir uns bemühen. In einer Zeit, in der ich zuweilen mitten in der Nacht Notizen über Träume zu machen pflegte, zog ich es vor, mit geschlossenen Augen aus dem Schlafzimmer in die Bibliothek zu gehen.

Gewisse Bruchstücke von Träumen erhalten sich in unserer Erinnerung wie Gesteine von fremden Planeten in der Erdkrume. Hier ergeben sich seltsame Ausbeuten. So ist etwa das Licht, das die Traumwelt erhellt, bemerkenswert. Vielleicht zeichnet es sich durch unbegrenzte Beugung aus, vielleicht ist es auf die Oberfläche der Körper aufgetragen wie eine phosphorische Substanz. In unseren Träumen nehmen wir daher keine Schatten wahr, nur größere oder geringere Dunkelheit.

Überhaupt vollzieht sich die Wahrnehmung unter anderen Bedingungen. So arbeitet der Geist fast ohne Begriffe, dafür aber mit Mitteln von übergeordneter Sinnlichkeit. Es fehlt die scharfe Trennung zwischen ihm und der gegenständlichen Welt, dafür aber tritt er mit der Schnelligkeit des Blitzes in sie ein, und zwar ohne an ihre Oberfläche gebunden zu sein. Er nimmt sie nicht wahr wie das Auge die Dinge im Licht, sondern er durchdringt sie ganz und gar als ein strahlendes Fluidum von besonderer Kraft. Wenn wir daher uns im Traum mit einem anderen unterhalten oder streiten, so wissen wir genau, was dieser andere fühlt und denkt; unsere Wahrnehmung durchschaut ihn ohne Widerstand oder nistet sich beliebig in ihm ein. Ebenso benützen wir im Traum selten die Tür; wir gehen durch die Wände und Decken hindurch. Wir gleichen dem elektrischen Strom, der bald menschliche Körper, bald Tiere oder auch leblose Dinge bis in die Atome durchfließt. Auch ist unsere Sehkraft nicht auf unsere Augen beschränkt — die Traumwelt gleicht einer Pflanze, die wir an jedem Punkte ihrer Gestalt mit unserer Wahrnehmung zu okulieren imstande sind.

Hier ließe sich, freilich mit Vorsicht, noch folgende Perspektive andeuten: es wäre möglich, daß einem Versuche, den Traum mit exakteren Mitteln zu erfassen, wie jeder geistigen Bewegung ein Spiegelbild sich zuordnete. Das würde dann ungefähr so aussehen, daß fremde Elemente ihrerseits in die meßbare Welt eindrängen. In diesem Sinne fordern die sehr merkwürdigen Bemühungen unserer Physiker zu einer besonderen Art der Aufmerksamkeit heraus. Es gibt hier kühne Geister — kühner noch als jene, die sich zuerst auf das offene Meer hinauswagten, dringen sie in tiefst verborgene Räume vor. Dieser einsamen Anstrengung entspricht, wie dem Pochen im Inneren der Bergwerke, ein Echo, das aus dem Unbekannten widerklingt. Wir spüren, wie die Intelligenz zu wachsen beginnt, welche die Stoffe belebt, und ahnen, gleich einer neuen Dimension, die köstlichen Tiefen der Materie.

Dem entsprechen dann sichtbare Vorgänge. So scheint es, daß der Mensch auf weiten Gebieten einer Art von vegetativem Leben verfällt, dem die Technik nicht widerspricht, sondern das sie instrumentiert. Hier wäre vor allem zu nennen das umfangreiche Eindringen rhythmischer Abläufe, sodann die Veränderungen, wie sie die hohen Geschwindigkeiten hervorrufen. Es gibt große Bezirke, wo man in steigendem Maße durch Schwingung und Reflex zu handeln beginnt; das gilt im besonderen für den Verkehr. Vielleicht wird sich von hier aus der Schmerz vermindern, der unsere Arbeitswelt erfüllt und ja im wesentlichen Schmerz des Bewußtseins ist. Vielleicht auch gibt es von hier aus hohe Zugänge zur Désinvolture; und wie dergleichen möglich ist, hat bereits Kleist in seiner kleinen Erzählung vom Marionettentheater unübertrefflich dargestellt. In ihr verbirgt sich, wie übrigens auch in Schriften von Hoffmann und E. A.

Poe, eine noch unentdeckte Tatsache hohen Ranges in bezug auf unsere mechanische Welt. Endlich wird, wie ich glaube, auch meine Behauptung, daß unsere Licht- und Funkspiele der Welt unserer Traumbilder bereits verwandter als unserem überlieferten Theater sind, sogleich einleuchten.

In diesem Zustande nun, in dem neue Kräfte unter ungemeinen Verhüllungen eintreten, denn das Bewußtsein selbst spinnt ihnen ja die Kapuzen und Tarnkappen — in diesem Zustande erwächst, wie in jedem Zwielichte, dem Geist eine erhöhte Verantwortung. Er darf sich nicht auf jene Kontrollen beschränken, die seine Wissenschaft ihm anbietet. Für ihn heißt es in einem besonderen Sinne: Erwachen und Tapferkeit.

### 3. Nachtrag                                    *Überlingen*

Hier ist vielleicht der Ort, noch einmal die oberen Schichten zu streifen, die in der »Kiesgrube« erwähnt wurden. Rückblickend will es mir scheinen, daß diese Form, die Form der Modellsammlung, dem Unternehmen die angemessenste ist. Ihr stenographischer Charakter allein bewältigt die Fülle der Aufschlüsse — ich nehme das Wort in seinem geologischen Sinn.

Zugleich muß diesem Vorgange eine Art von Prosa entsprechen, die größere Durchschlagskraft besitzt. Der Sprachgeist ruht nicht in den Worten und Bildern; er ist in die Atome eingebettet, die ein unbekannter Strom belebt und zu magnetischen Figuren zwingt. So allein vermag er die Einheit der Welt zu erfassen, jenseits von Tag und Nacht, von Traum und Wirklichkeit, von Breitengraden und Zeiträumen, von Freund und Feind — in allen Zuständen des Geistes und der Materie.

Den Spruch des Hesiod, daß die Götter den Menschen die Nahrung verbergen, hörte ich so früh, daß er mir einleuchtete, bevor er sich durch Erfahrung bestätigte. Inzwischen fand ich immer deutlichere Belege für seine Gültigkeit — und oft gerade dort, wo Fülle zu herrschen schien.

Hierher dürfte die Neigung des Menschen gehören, bei überreichen Ernten lieber einen Teil der Früchte zu vergeuden als den Preis zu verbilligen. Die Gründe dafür liegen tiefer als dort, wo man sie heute sucht, es handelt sich offenbar um eine eingeborene Verblendung des ganzen Geschlechts. Sehr gut wird man das beobachten, wo die Wirtschaftsform geändert wird, und nun die gleiche Menge von Gütern statt auf individuelle etwa auf planwirtschaftliche Weise, so durch Fehldisposition, verkommt. Schon bei einer im Verhältnis so geringfügigen Verbesserung, wie wir sie heute als Konjunktur bezeichnen, überwiegen die unangenehmen Wirkungen. Auch der überraschende Anfall großer Geldsummen, wie die meisten ihn erträumen, schlägt selten zum Heile aus. Oft geschildert ist die niedere Ekstase, die der Anblick geöffneter Gold-Adern erweckt, ein Taumel, an den sich Mord und Gewalttat und dann sinnlose Verstreuung des Schatzes unmittelbar anschließen. Der Mensch muß die Nahrung suchen und mit Fingern ausgraben; wenn sie ihn aber wirklich einmal überschüttet, fällt er der Verwirrung anheim.

Auch in der Wissenschaft fällt die Armseligkeit auf, mit der wir den Anbau zu betreiben gezwungen sind. Hier gleichen wir weniger den Blinden als den Taubstummen, die ein unbekannter und ein wenig spaßhaft veranlagter Gastgeber in die große Oper geladen hat. Wir beobachten auf der Bühne eine Reihe von merkwürdigen Vorgängen und entdecken endlich eine gewisse Korrespondenz dieser Vorgänge mit Bewegungen, die wir im Orchester wahrnehmen. Hieran knüpft sich eine ungemeine Fülle scharfsinniger und auch nützlicher Bemühungen. Ewig aber bleibt uns verborgen, daß alles, was wir auf diese Weise umschreiben und einordnen, die Elemente, die Atome, das Leben, das Licht, seine eigene Stimme besitzt. Ja, wenn wir diese Stimme zu hören vermöchten, dann könnten wir auch fliegen ohne Flugzeuge, und die Körper würden unseren Blicken auch ohne Röntgens Strahlen durchsichtig sein.

Dennoch bemächtigen sich unser zuweilen üppige Vorstellungen, etwa derart, daß wir mit unseren Maschinen das Universum zu melken imstande seien. Selbst Schopenhauer gab sich der Hoffnung hin, daß diese Arbeit den Menschen Muße verschaffen würde, und damit vermehrte Gelegenheit zur Kontemplation. Demgegenüber ist zu bemerken, daß der plötzliche Zuwachs neuer Kräfte und Methoden, wie ihn die Naturwissenschaft vorbereitet und die Technik realisiert, zunächst wie ein Wirbelwind Verwirrung bereitet und sich dann fruchtlos verliert. So hat man etwa den Eindruck, daß jenes große Heer von Menschen, dessen Aufgabe darin besteht, uns mit Schuhen und Stiefeln zu versorgen, innerhalb der letzten hundert Jahre nicht geringer geworden, sondern noch angewachsen ist. Ohne Zweifel wird dort zugleich mehr gearbeitet als innerhalb der alten Innungen zu Zeiten des Jakob Böhme oder des Hans Sachs, denn es widerspricht dem Sinne der Mechanik, daß sie die Muße vermehrt. Nicht nur wird sie die Arbeitskraft schärfer erfassen, sondern auch dem einzelnen die Nahrung sparsamer zuschneiden.

So kommt es, daß man in jedem durchdachten Betriebe, etwa in den großen Hotels, eine Art von Hunger empfindet, die auch dann nicht weicht, wenn alles reichlich vorhanden ist. Wenn der Staat sich gezwungen sieht, die Nahrung zu bewirtschaften, kann dieses Hungergefühl bei gefüllten Speichern wie eine Panik sich ausbreiten. Auch gehört zur vollkommenen Sättigung die Wahrnehmung, daß sich mehr auf dem Tische befindet, als verzehrt werden kann. Hierin liegt die beruhigende Wirkung der Stilleben und aller Speisen, die man, wie die Früchte und das Dessert, zu Schaugerichten anordnet. In einem der Vorratshäuser, wie sie zu jedem norwegischen Hofe gehören, sagte mir der Bauer, als er mich die Fässer voll Mehl und Hartbrot, die Schinken, Würste und gedörrten Fische betrachten sah: »Maat for et aar«, das heißt: »Essen für ein Jahr.« Unter den großen Massen, die unsere Städte bewohnen, können das auch die Reichsten nicht von sich aussagen. Sie alle ohne Unterschied trennt nur eine schmale Spanne von der Not, und zuweilen, wenn man sie betrachtet, wird man von dem Gefühl der Weltangst ergriffen, wie beim Anblick chinesischer Flüsse, deren Wassermassen zwischen turmhohen Dämmen über dem gewachsenen Boden dahinfluten.

Mit Recht sagt daher Hesiod, daß uns die kargen Ernten zugeschnitten sind, und das inmitten einer von überreichen Gaben erfüllten Welt, in der eigentlich die Arbeit eines einzigen Tages im Jahr für alle übrigen genügt. Das meint auch unsere Wissenschaft, die das Holz in Brot und die Atome in Kraft zu verwandeln gedenkt. Darin, und wohl in Kühnerem noch, liegt nichts Utopisches, wohl aber im Glauben, daß damit die Not zu bannen sei. Wo solche Künste gelingen, stellen unvorhergesehene Gegengewichte die ursprüngliche Schwere wieder her — indem sich etwa mit der Nahrung auch die Zahl der Esser vermehrt, oder der Zuwachs neuer Kräfte die Kriegführung speist. Mars ist der unersättlichste Fresser auf dieser Welt.

Freilich kehrt uns das Sprüchlein des Hesiod, gleich dem Monde, nur die uns bekannte Seite zu. Seine Voraussetzung aber ist die, daß Überfluß besteht, und daß bei den Göttern die Verfügung liegt. Das Leben birgt zwei Richtungen; die eine ist der Sorge zugewandt, die andere dem Überflusse, der die Opferfeuer umringt. Unsere Wissenschaft ist ihrer Anlage nach der Sorge zugeordnet und der Festseite abgewandt; sie ist mit der Not untrennbar verbunden wie der Messende mit dem Maß oder der Zählende mit der Zahl. Daher müßte man die Wissenschaft vom Überfluß erfinden, wenn sie nicht seit jeher bestände — denn sie ist keine andere als die Theologie.

Hier sind wir nun in einer seltsamen Lage, von der indessen nur mit Vorsicht gesprochen werden darf. Wir nehmen unsere Welt kaum gleich jenen Eisbergen wahr, von denen nur die Spitze über der Oberfläche erscheint. Hier freilich werden unsere Formeln immer knapper, kristallischer, zwingender; schon sind die Punkte vorauszusehen, an denen die Wissenschaft das letzte Wort gesprochen haben wird. Dennoch dringt sie bis zur höchsten Kapazität ihrer Elemente, bis zu der des Überflusses, nicht vor. Hier tritt die Theologie in das Treffen ein, eine neue Theologie, die beschreibenden Charakter besitzt. Sie hat den Bildern, die uns seit langem vertraut sind, die Namen zu verleihen. Diese Nennungen werden von gewaltigen Akten des Erkennens, des Wiedererkennens und der Heiterkeit begleitet sein.

*In den Kaufläden, 2*　　　　　　　　　　*Goslar*

Auch im Alltäglichen begleitet uns ein recht feines Gefühl für den symbolischen Zusammenhang, und oft beschreiben wir merkwürdige Umwege, indem wir einem Gefüge, das uns lückenlos umgibt, bei entfernten Völkerschaften und in verschollenen Zeiten nachspüren. Es dauert lange, ehe wir begreifen, daß wir mit unseren beiden Augen auf das vortrefflichste ausgerüstet sind, und daß die nächste Straßenecke genügt, um all diese seltsamen

Dinge zu beobachten.

So empfindet der Mann, wenn er gewisse Läden, wie etwa den Gemüseladen, betritt, bereits einen ganz leisen Anflug des Ungehörigen, wie überall, wo er Gebiete berührt, auf denen die Frau regiert. Derartige Geschäfte, Hökergeschäfte, findet man hier in den alten Gassen in großer Zahl, und es ist fast stets die Frau, die in ihnen verkauft. Wenn man diese Läden betritt, hat man sogleich das Gefühl, daß man als Fremdling erscheint, auch stört man da meist eine Gruppe von Frauen, die in vertrauten Verhandlungen begriffen sind. Es ist die Fama, die an solchen Orten entsteht, das weibliche Gegenstück zur Zeitung und zur Politik. Man spürt ohne weiteres, daß hier die Angelegenheiten ungleich feiner, treffender und verborgener behandelt werden als beim politischen Gespräch. Vor allem wird man die Phrase vermissen; die Bemerkung zielt nie auf den allgemeinen Begriff, sondern durchaus auf die Person und auf das Detail. Zuweilen erblickt man auch den Mann der Gemüsefrau, der häufig gnomenhafte Züge trägt und mit den untergeordneten Arbeiten beschäftigt ist. Man sieht ihn schwere Säcke in die Gewölbe schleppen, auch ist ihm der Teil des Geschäftes anvertraut, der außerhalb des Hauses zu verrichten ist; so schafft er auf einem kleinen Wagen die Ware herbei. Der Laden selbst wird gern in die Tiefe verlegt, in die Kellerräume, der Umfang der Fenster ist gering, auch das Schaufenster ist meist klein, und die Gegenstände sind flüchtig ausgebreitet wie auf einem Feldaltar. Der vorherrschende Geruch ist der starke, den Cerealien entströmende Erdgeruch. Auffällig ist die geringe Rolle, welche die Waage spielt, weit häufiger als nach Gewicht werden die Früchte nach Stückzahl, in Bündeln, Kränzen und Sträußen, oder aus Hohlmaßen verkauft. Auch herrscht eine deutliche Abneigung gegen das Dezimal-System, man benutzt die alten Maße, das Dutzend, die Mandel, das Schock. Die Hohlmaße tragen Bezeichnungen, die man oft kaum noch dem Namen nach kennt. Die hölzernen Geräte überwiegen die eisernen; das Messer wird selten verwandt.

Welcher Unterschied, wenn man dagegen einen Schlachterladen betritt. Hier fällt das Licht durch große, geräumige Fenster ein und spiegelt sich in den gescheuerten Fliesen und den blanken, metallischen Werkzeugen. Alles ist hell und glänzend und von einer jovialen Heiterkeit erfüllt, über deren männlichen Ursprung kein Zweifel ist. Der Frau fällt die untergeordnete Rolle zu; sie bedient, nimmt das Geld in Empfang und führt höchstens ein Messerchen, mit dem sie die Würstle zerteilt. Der Raum wird durch die Gestalt des Meisters beherrscht, der in blutbespritzter Schürze hinter dem Hackblock steht und mit dem Beil die großen Stücke spaltet, die er schon in der Frühe im Verein mit seinen Gesellen und Lehrlingen im Schlachthaus zugehauen hat. Oft herrscht der Kundschaft gegenüber ein fast gewaltsamer Zug; man rundet, ohne lange zu fragen, die Gewichte nach oben ab und wirft schwere Knochen mit in den Kauf. Man findet da übrigens immer vorzügliche Dezimal-Waagen. Wenn in einem solchen Geschäft der Meister stirbt, so muß es die Frau verkaufen, oder es muß der Geselle heran. Der Regent in diesen Räumen ist der mindere Mars, dessen Züge man häufig in den Gesichtern erblickt; ihm entspricht ein venusischer Typ von lebhaftem Inkarnat. Merkwürdig ist die Art, in der seine Geräte den Kriegswaffen ähneln und doch von ihnen abweichen — so haben die Äxte eine breite Schneide, die Messer einen langen Griff, im Gegensatz zu den Schwertern und Kriegs-Äxten. Ein vor allem in diesen und ähnlichen Zusammenhängen auftretendes Werkzeug ist der Haken, den man im Überfluß antreffen wird.

Läden, in denen man nur selten Frauen erblickt, sind solche, in denen man Eisenwaren verkauft. Man begegnet in ihnen vor allem Bauern und Handwerkern, die, bevor sie einen Gegenstand kaufen, ihn langwierigen Prüfungen unterziehen. Die zahlreichen Artikel sind in einem wohlgeordneten Lager untergebracht. Sie führen sonderbare Namen, doch der Verkäufer weiß sie schnell zu finden wie Wörter in einem Lexikon. Es ist die Schmiede-Sprache, die man hier vernimmt — eine Sprache, deren Begriffe ausreichten, das ganze, neuartige Arsenal der Maschinentechnik zu kennzeichnen. Wunderlich mag es uns scheinen, von Völkern zu hören, bei denen die Schmiede-Kaste ihre eigene Sprache besitzt. Und doch sieht man in diese Geschäfte häufig Kunden eintreten, mit denen der Verkäufer ein förmliches Verhör anstellen muß, ehe er die Namen der gewünschten Mittel und Werkzeuge errät — ja, man kann sogar erfahren, daß man Tätigkeiten plant, für die man nicht einmal das Verbum kennt.

Der Käufer verläßt das Eisengeschäft mit dem Gefühl, daß er einen guten, brauchbaren Gegenstand erworben hat. Wenn man dagegen aus dem Tuchladen kommt, gerät man sogleich in Zweifel, ob man nicht doch etwas betrogen ist. Die Gewebe begünstigen ihrem Wesen nach die Täuschung; man spricht nicht umsonst vom Lügengewebe, vom Lügennetz, vom Lügengespinst. Daher muß das Gesponnene mit Überredung verkauft werden; man findet an keinem Ort soviel hohle Geschwätzigkeit wie dort, wo man um Stoffe feilscht. Dieser Unterschied greift auch ins Große; man spürt es an der Luft ganzer Städte, ob der Schmied oder der Weber in ihnen regiert. In den Schmiedestädten geht es gewaltsamer zu, und doch hat man dort für Freiheit größeren Sinn. Weberstädte gaben schon ihre Namen für besondere Formen der Ausbeutung her, weil man den Menschen mit Fäden feiner als mit Ketten zu fesseln vermag.

Wir sind die kleinen Krammetsvögel, die Mutter Erde mit der roten Farbe berückt. Rot ist ihr innerer Stoff, den sie unter ihren grünen Röcken verbirgt, unter ihren weißen Spitzen, die aus Gletschereis gewoben sind, und unter den grauen Volants, mit denen der Ozean ihre Küsten umsäumt. Wir lieben es sehr, wenn unsere Mutter uns ein wenig von ihren roten Geheimnissen enthüllt, lieben den Glanz von Fafnirs Höhle, lieben das Blut an den heißen Tagen der Schlacht, lieben die vollen Lippen, die halb geöffnet sich uns zuwenden.

Rot ist unser irdischer Lebensstoff; wir sind ganz und gar ausgekleidet von ihm. Die rote Farbe ist uns daher nahe — so nah, daß zwischen ihr und uns kein Raum zur Überlegung besteht. Sie ist die Farbe der reinen Gegenwart; unter ihrem Zeichen verständigen wir uns auf sprachlose Art.

Zugleich aber sind zu unserem Heile auf diese Farbe starke Siegel gelegt. Wir begrüßen sie heftig, und wir schrecken ebenso heftig vor ihr zurück; sie läßt den Lebensatem schneller, aber zugleich ängstlicher wehen. Sonst würde die Welt einen Anblick bieten wie Blaubarts Kammer und als Schauplatz wahlloser Durchdringungen vom Schein immerwährender Brände erleuchtet sein. Hiervor bewahren uns die hütenden und richtenden Mächte, der fürstliche Purpur und die reine Flamme im vestalischen Herd.

Diese Sparsamkeit, die uns zum Ruhme gereicht, setzt indessen das Prinzip des hohen, gesetzgebenden Geistes voraus, dem die blaue Farbe zugeordnet ist. In dieser Farbe deuten sich die beiden Flügel des Geistes an: das Wunderbare und das Nichts. Sie ist der Spiegel der geheimnisvollen Tiefen und der unendlichen Entfernungen.

So ist uns das Blau vor allem als die Himmelsfarbe

vertraut. Blasser und kühler, oft an das Graue oder auch an das Grüne streifend, ruft es in unseren Breiten das Gefühl des leeren und grenzenlosen Raumes hervor. Erst nahe dem Wendekreise strahlt das ewig heitere, atlantische Blau, von dem man wahrhaft als von einem Zelte sprechen darf. Jenseits des irdischen Dunstes aber leuchtet das Gewölbe in seinem tiefsten, sich dem Schwarzen nähernden Glanz, und es ist wohl möglich, daß die gewaltige Macht des Nichts sich dort dem Auge sichtbar offenbart. In ihm schweben die Sterne, wie der Kristall in der Mutterlauge schwebt.

Die tiefen Meere fangen diese Farbe in sich ein und spiegeln sie mannigfaltig zurück, vom stumpfen Kobalt bis zum lichten Azur. Es gibt Meeresweiten von dunkel seidigem oder saphirenem Glanz, dann wieder Flächen von kristallischer Helle über dem leuchtenden Grund, und an den Klippen Strudel, in denen die Flut in der Farbe von Blütenkelchen und Augensternen aus der Tiefe quillt und sich wunderbar ausbreitet. Jeder, der das Meer liebt, erinnert sich an Augenblicke der Bestürzung und dann der hellen, geistigen Heiterkeit vor solchen Schauspielen. Nicht das Wasser, und nicht die Unendlichkeit des Wassers ruft diese Heiterkeit hervor, sondern seine göttliche, seine neptunische Kraft, die auch die kleinste Welle bewohnt.

Blau ist die Farbe der äußersten Orte und der letzten Grade, die dem Leben verschlossen sind, so des Dunstes, der in das Nichts verfliegt, so des Firneises und der Kerne der Stichflammen. Ebenso dringt sie in die Schatten, die Dämmerungen und die fernen Linien der Horizonte ein. Sie nähert sich dem Ruhenden und weicht vor dem Bewegten zurück.

Wenn die rote Farbe erscheint, verspüren wir eine Annäherung und Beschleunigung der Beziehungen — das Blaue dagegen ruft das Gefühl der Entfernung und der Verzögerung hervor. Ein Garten mit blauen Blumen wird daher der Betrachtung am zuträglichsten sein. Ein Raum mit blauen Wänden kommt uns größer, stiller, aber auch kälter vor. Die blaue Farbe besitzt für das Herz eine heilsame Kraft. Im Volksmunde gilt sie als bezeichnend für die seltsamen, unwirklichen, berauschten Zustände, im besonderen als die Luft-Farbe; dann wieder als Sinnbild des Zauberhaften und auch des treu Beständigen. In der Tat erscheint Blau, im Gegensatz zum polarisierenden Rot, als die angemessene Farbe der Bündnisse, als die universale Farbe schlechthin. Ebenso deutet es das geistliche und, insbesondere in seinen violetten Schattierungen, das im Fleische unfruchtbare Leben an.

Die blaue Farbe weist auf den geistigeren Zustand hin, nicht aber auf den vornehmeren, wie er sich in der roten Skala abwandelt, die im Purpur dominiert. Sie nimmt an den Sonderungen nicht teil — ihr Ort darf dort vermutet werden, wo das Gesetz beheimatet ist; nicht, wo es regiert. Das Verhältnis von Blau und Rot bietet Stoff zur hohen Meditation: Im Kosmischen über Himmel und Erde, im Menschlichen über priesterliche und königliche Macht.

### Der schwarze Sey                                      Bergen

Das Schiff legte mitten in der Nacht im Hafen an, und sogleich begannen die Entladungs-Kräne ihr Werk. Ich hörte im Halbschlafe in meiner kleinen Kabine, wie sie die Lasten aus dem Schiffsraum in die Höhe wanden und dann auf den Kai hinabsetzten. Dieses doppelte Geräusch, das ein Augenblick der Stille unterbrach, verspann mich in einen bösen Traum. Ich fühlte mich durch einen der Haken an der Kleidung ergriffen und in eine unermeßliche Höhe emporgerissen, während mich von unten eine Menschenmenge mit Schrecken betrachtete. Zuweilen zerriß ein Kleidungsstück, und der Haken fing mich an einem anderen wieder auf. Bei jeder dieser Bewegungen stießen die Zuschauer laute Schreie aus. Endlich aber setzte der Kran mich ganz sachte auf dem Boden ab. Die Leute eilten mir entgegen; ich bemerkte, daß es nur Personen waren, denen ich unangenehm gewesen war, und die mir im Leben zu schaden gesucht hatten. Um so wunderbarer erschien es mir, daß sie alle mich mit freundlichen und gerührten Blicken betrachteten. Sie berührten mich mit den Fingerspitzen und tasteten mich ab.

Nach dem Erwachen begab ich mich an Land und schlenderte auf dem Torvet umher. Diese nordischen Hafenstädte erinnern mich an frühe Abschnitte meiner Kinderzeit; sie langweilen mich, aber ich fühle mich in ihnen zu Haus. Gerade liefen die Fischerboote, die über Nacht auf See gewesen waren, in das Hafenbecken ein, und die Stände der Fischhändler füllten sich mit frischem Fang. Besonders fiel mir der Sey in die Augen, ein glatter, glänzender Dorsch, der zuweilen in ungeheuren Mengen erbeutet wird, und den man seiner schwarzen Farbe wegen auch den Köhler nennt. Vor dem Tode verströmt er mit feinem, unablässigem Zittern die Lebenskraft. Tausende und aber Tausende dieser Fische breiteten sich auf dem Markte wie ein schwarzer, zuckender Teppich aus, den die bunten Stände der Blumenhändler im Viereck randeten — ein Schauspiel von tödlicher Heiterkeit.

Ich beobachtete einen Marktknecht, der wohl hundert Fische schlachtete, während er mit einem schönen Dienstmädchen schäkerte. Er griff die Tiere aus einem Bottich heraus und schnitt ihnen, ohne sie zu betrachten, mit einem scharfen Messer die Kehle unter den Kiemen durch. Diese gleichmütige Tätigkeit stand zum Schmerze, den sie erweckte, in einem peinlichen Gegensatz. Es war weniger die Grausamkeit des Vorganges, die diesen Eindruck zeitigte, als seine mechanische Achtlosigkeit. Ungemein sorgfältiger und aufmerksamer wirkten die Bewegungen des Urfischers, dem ich im Süden, auf einer kleinen Klippe vor Alcudia, zusah, wie er seine Beute aufbrach und ausweidete. Es ist das der Unterschied, mit dem der Händler die Ware behandelt, und der Jäger das Wild.

Während des Frühstückes schoß mir durch den Kopf, daß wir in eine Zeit geboren sind, in der uns sowohl der geschäftige Zugriff des einen, als auch die geschärftere Grausamkeit des anderen bedroht — in eine Zeit des doppelten Verzehrs. Wie Odysseus zwischen Scylla und Charybdis, so segeln wir zwischen Kriegen und Bürgerkriegen dahin — und kennen vielleicht, wie diese Fische, noch nicht einmal den Namen des Vorganges, in dessen Maschen wir gefangen sind. Gar zu gern würde ich das einmal in einer Weltgeschichte lesen, wie sie in zweihundert Jahren erscheint. Leider erinnern solche Berichte oft an Bücher, in denen die i-Punkte vergessen sind — und als einen dieser Punkte möchte ich die Gleichzeitigkeit eines so vorzüglichen Frühstückes bezeichnen, wie man es am Bergener Fischmarkt um elf Uhr vormittags serviert.

*Historia in nuce: Das Glücksrad*          *An Bord*

Zum Bild der Jahrmärkte, wo es so viel zu sehen gibt, gehören auch die Gruppen, die um die kreisenden Glücksräder versammelt sind. Achtlos schreiten wir hier an einer der Schicksalsfiguren vorüber, in die unser Leben geordnet ist, achtlos auch an dem Rad, das ein wenig schärfer zu betrachten sich wohl lohnen würde, auch wenn wir den Gewinn verschmähen, den der possenhafte Ausrufer verheißt.

Wir treffen diese kleinen Maschinen in verschiedenen Formen an, in denen ein gemeinsames Prinzip arbeitet. Ihr Mechanismus beruht auf dem Zusammenspiel eines Rades oder einer kreisenden Scheibe mit einem System von Symbolen, die als Farben, Ziffern oder Zeichen angeordnet sind. Der Idee nach kann man sich das Glücksrad als aus zwei Kreisen gebildet vorstellen, von denen der ruhende durch eine Gradeinteilung ausgezeichnet ist, während der andere den reinen Ablauf bewirkt.

Praktisch wird das Spiel vereinfacht, aber nicht verändert, wenn man den Symbolkreis mit dem des Ablaufs vereint. So gebildet ist die Roulette in ihrer üblichen Form, die uns als einfache Drehscheibe erscheint. Wenn wir jedoch den Querschnitt durch sie legen, tritt ihre Doppeleigenschaft hervor; wir unterscheiden einmal das Rad und dann den Zeichenkreis, der ihm als Blättchen oder Anstrich aufgetragen ist. Es gibt indessen auch Formen der Roulette, bei denen wohl das Rad sich dreht, nicht aber der von ihm gesonderte Zeichenkreis. Das ist etwa bei jenen Glücksrädern der Fall, bei denen die Drehscheibe die Gestalt eines Kreisels trägt, dessen Lauf Kugeln in peripherisch angeordnete Vertiefungen schnellt. In dieser Form wird das Spiel deutlicher, denn der Zeichenkreis ist seinem Wesen nach ruhend und in seiner Aufteilung konstant. Hierauf beruht das feste Verhältnis von Gewinn und Verlust, und damit die sichere Rechnung aller Unternehmungen, für die das Glücksrad arbeitet.

Ganz anders freilich spiegelt sich der Vorgang in der Welt des Spielers ab. Für den Spieler gewinnt die Drehscheibe insofern eine ungemeine Bedeutung, als sie die Beziehung zu jenem Ausschnitte des Symbolkreises bewirkt, dem sein Los entspricht. Zu diesem Zwecke dient eine besondere Vorrichtung, der *Index,* der das Glücksrad vervollständigt, indem er die leere Bewegung der Drehscheibe qualifiziert. Wir können uns das einzelne Spiel nunmehr so vorstellen, daß über dem ruhenden Symbolkreise eine gläserne Scheibe schwingt, darauf als Marke der Index eingetragen ist. Wenn die Bewegung unterbrochen wird, bezeichnet der Index einen Ausschnitt des Symbolkreises und entscheidet damit Gewinn und

Verlust. Es leuchtet ein, daß das Ganze erst durch den Index zum eigentlichen Glücksrad wird. Daher erfährt denn auch das Lebensgefühl des Spielers im Augenblick, in dem die Marke auf dem Symbolkreis verharrt, eine mächtige Steigerung.

Praktisch kann sich auch der Index auf die verschiedenste Art darstellen. Wir finden ihn als einfachen Zeiger, als rollende Kugel, auch als Stift oder Zahn, der an den Speichen oder Ausschnitten des Symbolkreises als Hemmung arbeitet. In anderen Fällen wieder wirkt er als Geschoß, indem er in Form eines Bolzens auf das kreisende Glücksrad abgeschossen wird. Den gleichen Vorgang vollzieht die Hand des Waisenkindes, die in die rollende, mit Losen gefüllte Trommel greift — immer handelt es sich um den blinden Treffer auf den Zeichenkreis. Der Irrtum aller Spieler beruht auf einer optischen Täuschung, die ihnen den Symbolkreis als eine Art von Schützenscheibe erscheinen läßt, und den Index als gezieltes Geschoß. Sie meinen, wenn sie ihre Zahl, ihr Zeichen diesmal verfehlten, ihr nächster Schuß um so sicherer treffen wird. Daher sind, wenn die Kugel rollt, die Spielsäle vom Fluidum einer angestrengten Anspannung erfüllt, und jeder glückliche Spieler schreibt sich am Gewinn eine Art von Vaterschaft zu.

Im Bau des Glücksrades verbergen sich jedoch weit bedeutendere Verhältnisse als das von Gewinn und Verlust, und die tiefe Leidenschaft, die sein Lauf im Herzen des Spielers erregt, beruht darauf, daß es zugleich als ein vollkommenes Modell des Weltganges arbeitet. So faßt der Mensch seit jeher, wenn er sein Los in den Sternen erblickt, den Kosmos als kreisendes Glücksrad auf, und das Horoskop, das der Astrologe uns aufzeichnet, stellt nichts anderes als den Symbolkreis dar, auf den unsere Lebensstunde als Index eingetragen ist. Wenn wir den Vorgang betrachten, rührt uns ein Schauer an, wie ihn das Spiel des Schicksals erweckt. Wir sehen den bunten, ruhenden Zeichenkreis in seiner unveränderlichen Einteilung, und über ihm, gleich einem Nebelringe, den leeren Kreislauf der Zeit. Und doch birgt diese schwingende Scheibe Raum für alle, die jemals waren, sein werden oder auf ewig im Schoße des Ungeboren-Seins verharren. Sie alle sind Mitspieler; daher ist die Geburt an sich, gleichviel wie ihre Konstellation, bereits ein Treffer unter Millionen, und mit Recht stellt sich der Mensch, sei es im Glück, sei es im Unglück, zuweilen die seltsame Frage: »Warum gerade ich?«

Ebenso sind unsere Uhren nach dem Prinzip des Glücksrades gebaut. Hier liegen die Verhältnisse so, daß das Zifferblatt den Symbolkreis, das Räderwerk die Drehscheibe und der Zeiger den Index vertritt. Damit der Vorgang Qualität gewinne, muß er mit unserem Lose verbunden sein. Im Laden des Uhrmachers kreisen die Uhren beziehungslos, wie im Kinderspiel, das um gedachte Einsätze geht. Wenn der Käufer sie davonträgt, wachen sie zum Ernstfall auf; sie schlagen zu den Festen, zu den Schmerzen, zum Gericht. Auch glaubt man, daß die Uhr am Krankenbette im Augenblick des Todes stehenbleibt. Was uns die Uhr im einzelnen bedeutet, kann ungemein verschieden sein. Es leuchtet ein, daß wohl der Spieler sie vor allem als Glücksrad erkennt. Daher sind ihm die Stunden auch reich an unerwartetem Gewinn, an Schicksalsschlägen, an Veränderungen, Reisen, Schäferstunden und Abenteuern aller Art. Das andere Extrem verkörpert jener Typus, der die Uhr allein als Chronometer gelten lassen will. Dennoch gleicht auch er dem Spieler, der sich mit geringem, aber sicherem Gewinn begnügt. Freilich muß auch er erfahren, daß selbst bei kleinstem Zinsfuß unser Kapital nicht sicher steht, und auch ihm gilt jenes »Una harum ultima«, das auf den alten Uhren stand. Wo man im Glück die Wohlgeratenheit erblickt, fällt dieser Unterschied dahin. Wer sich auf die große Kunst versteht, die rechte Stunde zu treffen, dem rechnen wir nicht nach, ob er sie bestimmte oder erriet. Übrigens ist, wer streng nach dem Chronometer lebt, wie etwa der Beamte, stets in besonderer Weise vom Gange größerer Schicksals-Uhren abhängig.

Lehrreich ist es, wenn wir uns entsinnen, unter welchen Umständen wir jeweils eine neue Uhr erwarben: wir werden finden, daß sich diese Tage oft mit solchen decken, die einen neuen Abschnitt unseres Lebens einleiteten — an denen eine neue Partie im Lebensspiele begann. Die große, schlagende Standuhr gehört zum Haus und zur Familie, wie die Turmuhr zur Gemeinde gehört. Der Brauch, Zeiträder an hohen Orten, sei es auf Türmen oder Berggipfeln zu errichten, geht auf die Anfänge zurück. Wir finden in ihnen allen den Symbolkreis wieder, von den Steinringen und Sonnenscheiben bis zu den kalifornischen Observatorien. Freilich ändern sich die Fragen, die der Mensch an die Gestirne richtet, und es ändern sich die Antworten.

Immer aber finden wir die Weltangst und das Schicksalsbangen mit dem bewegten Teil des Rades oder mit dem Zeitablauf verbunden, während der tiefere Blick die ruhenden und unveränderlichen Zeichen zu erforschen sucht, die auf dem Symbolkreis eingetragen sind. Hierauf beruht seit jeher und an allen Orten der Unterschied der Laien und der Wissenden, und ohne Zweifel bestand neben dem einsamen Opfer in der Aufzeichnung des Symbolkreises eine der ersten priesterlichen Handlungen. Hierauf weisen sowohl die frühen Altäre als auch die uralten Glücks- und Sonnenzeichen hin, die als Hieroglyphen des Symbolkreises und seiner Gradeinteilung aufzufassen sind. Desgleichen verfährt der Astrologe als Wissender, indem er die kreisenden Sphären horoskopisch fixiert. Zu diesem Wissen gehört auch die Kenntnis von der Wiederkunft, vom ewig Gleichen, wie sie sich in der Setzung von Kalendern und in der Ordnung des Festjahres offenbart. Hier ruht das Maß, über dem das Leben, die Arbeit und die Eintagslust des Volkes kreist, oft in den Marken überkommen von Priesterschaft zu Priesterschaft.

Von hier aus leuchtet auch der Sinn der *Weihe* ein, denn es gehört seit jeher zu den Zügen, die den Menschen kennzeichnen, daß er seinen großen Lebensstunden einen Rang zu geben sucht, der den des bloßen Datums überwiegt. Diesem Hange unterliegt nicht nur der Bauer auf dem Felde, sondern auch der Mächtige der Welt, der Sieger im Kriege wie im Bürgerkrieg, der legitime Fürst wie der Usurpator der Macht. Sie alle bewegt ein geheimer, leidenschaftlicher Wunsch: daß ihr Triumph im Grunde mehr bedeute als ein hohes Los, das unter Millionen gezogen wird, mehr als den glücklichen Treffer im Lebensspiel, dessen Gewinn bei der nächsten Drehung des Rades verloren werden kann. Diese Gewißheit kann nur dort bestehen, wo das Datum, unabhängig von der Zeit und ihren Zufällen, auf den Kreis der unveränderlichen Ordnung übertragen wird. Daher beruhigt den glücklichen Soldaten, der nach der Krone greift, im letzten weder die Gewalt der Akklamation noch das Schaugepränge seiner Macht. Das ist ein Bangen, das er mit dem kleinen Volke teilt, dem trotz der Aufklärung bei seinen Trauungen und Taufen die Eintragung in die öffentlichen Listen keineswegs genügt. Der Mensch glaubt nichts gewisser, als daß er jenseits aller chronologischen Ordnungen ein auserwähltes Leben führt, und es ist die Weihe, die diesem Glauben Rechnung trägt.

Auch im einzelnen gewährt die Meditation über das Glücksrad gute Aufschlüsse. So etwa kann man sich an ihm die Rangordnung innerhalb der Geschichts-Schreibung veranschaulichen. Diese Rangordnung steigt im gleichen Maße an, in dem die Historie von der bloßen Drehung des Rades abzusehen vermag. So steht auf der untersten Stufe die chronologische Aufzeichnung. Freilich muß auch ihr bereits ein Blick auf den Symbolkreis vorangegangen sein, insofern die Kenntnis von der Wiederkunft des ewig Gleichen in der Zeit zu den Voraussetzungen der Jahreszählung gehört. Die Zählung selbst wird dann sehr früh der Schreiberkaste zugefallen sein, deren eigentliche Arbeit in der Registrierung liegt. Auch heute, bei der Abfertigung vor jedem beliebigen Schalter, vollzieht sich ein im wesentlichen chronologischer Akt, den der Schlag des Datums-Stempels indiziert. Von hier aus ergeben sich dann unter den mannigfaltigsten politischen Verhältnissen jene Händel zwischen den registrierenden und den konsekrierenden Mächten, die eines der großen Themen der Geschichte darstellen, und deren Denkmal wir in der doppelten Architektonik der entwickelten Staaten ausgebildet sehen.

Wo die Annalen, die etwa bei Tacitus, den hohen Rang erreichen, der sie zum Vorbild für Zeiten und Völker erhebt, verbirgt sich hinter der Aufzeichnung ein besonderer geistiger Akt. Es geht hier der Schilderung aufeinanderfolgender Ereignisse die Ermittlung ihrer außerhalb der Zeit gelegenen Bedeutung voraus. Auf diese Weise wird das Zeitrad durchsichtig. Sehr schön wird das uns dort bewußt, wo solche Werke uns unser Leben lang begleiteten. In der Jugend wird uns vor allem das Einmalige und Chronologische an ihnen einleuchten. Dann aber tritt immer deutlicher das Wiederkehrende, das immer und überall, und auch jetzt und hier noch Gültige an ihnen hervor — die essence divine, die besser konserviert als Stein und Erz. Diese Erleuchtung werden wir vor allem dann gewinnen, wenn wir selbst inzwischen an weltgeschichtlichen Ereignissen teilnahmen. Man könnte das auch so ausdrücken, daß unser historisches Vermögen einem Netze gleicht, das erst dann in genügender Tiefe lotet, wenn das Erz der eigenen Erfahrung es beschwert. Das gilt sogar schon für recht oberflächliche Ereignisse; so erinnere ich mich, daß ich die Assignaten-Wirtschaft, von der ich oft gehört hatte, erst wirklich begriff, nachdem ich unsere Inflation erlebt hatte. In noch weit höherem Maße gehört zum Kapital der Erfahrung die Teilnahme an den großen Begegnungen. Hiermit hängt zusammen, daß es in der Tat eine besondere Disposition zur Geschichtsschreibung gibt, wie man sie häufig bei Fürsten, Feldherren oder bei mit den großen Geschäften Beauftragten wahrnehmen wird. Im Grunde freilich liegt hier ein Zusammentreffen zweiten Ranges vor — darauf beruhend, daß im verworrenen Vexierbild unserer Anstrengungen die Einheit zu erblicken, dem königlichen Auge vorbehalten ist. Auch gehört dieses Gebiet, ganz ähnlich wie das der Rechtsprechung, zu jenen, auf denen die Leistung mit den Jahren, bis hoch in das den Interessen ferne Greisenalter hinauf, bedeutender wird. Auch in bezug auf das Vergangene gibt es ein Seher-Amt. Sehr einleuchtend liegen diese Dinge bei Dio Cassius; schön ist auch die Stelle, an der er den göttlichen Auftrag erwähnt.

Darüber hinaus gibt es eine jeder Art von Chronik überlegene Betrachtung, welche die unter dem Zeitenringe ruhenden Zeichen zu deuten unternimmt. Hinter der Fülle des Wiederkehrenden verbergen sich Figuren von beschränkter Zahl. Hier wird die Geschichte wie ein Garten, in dem das Auge nebeneinander die Blüten und Früchte erblickt, die der Zeitlauf in stets wechselnden Klimaten bringt und wiederbringt. Der ungemeine Genuß des Aufenthaltes in solchen Werken beruht darauf, daß wir ruhend erfassen, was sonst nur in der Bewegung erscheint — so etwa den Staat in der Politik des Aristoteles. Übrigens ließe sich die Person des Aristoteles selbst als ein Beispiel anführen, wie Schicksalsfiguren durchleuchten — denn wenn die Dinge in Ordnung sind, dann muß der erste Denker einer Zeit zugleich der Mentor ihres Königs sein. Das letzte Verhältnis, das sich dieser Figur zuordnen ließe, ist das von Friedrich dem Großen und Voltaire.

Diese Art von Historie ist die höchste, die der Geist, insofern er betrachtet, hervorzubringen vermag — denn nur insofern er dichtet, ist ihm am Mythus weiterzuspinnen vergönnt. Die Geschichtsschreibung dagegen bleibt mit dem Bewußtsein verknüpft, mit jener gewaltigen Macht, die den Geist zugleich beschränkt und mit der Kraft des Lichtstrahls begabt. Wie das Auge bei sehr klarem Meere auf dem Grunde die Amphore und die Säule ruhen sieht, so vermag der freie Blick zu jenen Maßen vorzudringen, die auf dem Grunde der Zeiten verborgen sind, tief unter Ebbe und Flut. Hier entscheidet sich eine Frage, die selbst Historiker von Rang verneinten: ob nämlich die Geschichte zu den exakten Wissenschaften zu zählen sei. Sie ist bejahbar, wenn man erkennt, daß unter ihrem flutenden Spiegel die festen Zeichen ruhen, unveränderlich in ihren Verhältnissen wie die Achsen und Winkel in der Kristallographie.

*Das Echo der Bilder*                                          *Rio*

Seit der Morgendämmerung war ich in dieser Residenz des Sonnengottes umhergestreift, deren Felsentor den Fremdling gleich neuen Säulen des Herkules empfängt, jenseits deren er die alte Welt vergißt. Ich hatte die Märkte und Hafenquartiere durchdrungen und war die hohen Prunkstraßen entlang geschritten bis zu den äußersten Vorstädten, in denen der Kolibri die großen Blüten der Gärten befliegt. Dann wieder war ich durch Alleen von Königspalmen und Flamboyants in die volkreichen Viertel zurückgekehrt und hatte das Leben bei seinen geschäftigen und müßigen Gängen belauscht.

Erst spät am Nachmittage erwachte ich wie aus einem Traum, bei dem man Essen und Trinken vergaß, und fühlte, daß der Geist unter der Überfülle der Bilder zu ermatten begann. Dennoch vermochte ich mich nicht zu trennen und war wie ein Geizhals mit meiner Zeit. Ohne mir Rast zu gönnen, bog ich in immer neue Straßen und Plätze ein.

Bald aber schien es mir, als ob meine Schritte wieder leichter würden, und die Stadt sich seltsam veränderte. Zugleich veränderte sich meine Art zu sehen — denn während ich bislang die Blicke an das Neue und Unbekannte verschwendet hatte, drangen nun die Bilder spielend in mich ein. Auch waren sie mir jetzt bekannt; sie schienen mir Erinnerungen, Einklänge meiner selbst zu sein. Ich instrumentierte meine Laune nach Belieben damit, wie jemand, der mit seinem Taktstock spazierengeht und, indem er bald hier, bald dorthin weist, mit der Welt musiziert.

Nun hatte ich das Gefühl, bei Reich und Arm zu Gaste zu sein, und der Bettler, der mich ansprach, erwies mir einen Dienst, indem er mir Gelegenheit gab, es zu bestätigen. An Punkten, an denen der Blick die Stadt amphitheatralisch umfaßt, leuchtete mir ein, daß ein solches Bauwerk wohl von vielen Geschlechtern wie von Bienen zusammengemörtelt ist, und daß es doch zugleich ein Geist erstehen ließ wie den Traum einer Nacht, und nicht als Wohnsitz für Menschen allein. Auch die Perlmuscheln werden mühsam aus Schichten erbaut, und doch liegt nicht darin ihr Wert.

Am Abend, in einem Café an der Copacabana, dachte ich über diese Verhältnisse nach. Es schien mir, daß es nicht nur für das Ohr, sondern auch für das Auge ein Echo gibt — auch die Bilder, die wir betrachten, rufen einen Reim zurück. Und wie es für jedes Echo besonders günstige Verhältnisse gibt, so ist es hier die Schönheit, die am mächtigsten widerklingt.

Einfacher und gründlicher gefaßt aber liegen die Dinge so: mit dem tiefen, lustvollen Blick, den wir auf die Bilder richten, bringen wir ein Opfer dar, und je nach unserer Spende werden wir erhört.

170

Die Azoren — das ist eine Kette von Vulkanen, die sich am äußersten Rande Europas erhebt. Seit dem frühen Morgen war ich hier unterwegs — in den Gärten, in denen das Auge die Blumen einer neuen Welt erblickt, auf den Feldern, die von dunklen Lavamauern umschlossen sind, und im hohen Lorbeer-Wald. Erst als die Sonne steil am Himmel stand, kehrte ich zum Hafen zurück.

Die Straßen lagen still im Mittagslicht; nur in der Ferne hörte ich einen heiteren, oft wiederholten Ruf, und mich befiel die Laune, ihm nachzugehen. Bald traf ich einen zerlumpten Menschen an, der eine Last von schon erstarrten Fischen bergauf, bergab durch die schmalen, ausgestorbenen Gassen trug, die kaum ein Drachenbaum, kaum eine Araukarie beschattete. Ich ging dicht hinter ihm her, ohne daß er mich sah, und erfreute mich an seinem herrlichen, vokalischen Ruf. Er rief ein mir unbekanntes, portugiesisches Wort — vielleicht den Namen für die Fische, die er trug. Es schien mir aber, als ob er dem noch ganz leise etwas hinzufügte, und daher trat ich so dicht hinter ihn, daß ich wie sein Schatten war.

In der Tat hörte ich nun, daß er, sowie er seinen weithin schallenden Ruf beendet hatte, noch flüsternd etwas vor sich hinmurmelte — vielleicht ein hungriges Stoßgebet oder einen erschöpften Fluch. Denn niemand trat aus den Häusern heraus, und kein Fenster öffnete sich.

So schritten wir lange durch die heißen Gassen dahin, um Fische auszubieten, die am Mittag niemand verlangt. Und lange hörte ich seinen beiden Stimmen zu, dem lauthin tönenden, üppig werbenden Ruf und dem leisen, verzweifelten Selbstgespräch. So folgte ich ihm mit einer lauschenden Gier, denn ich spürte wohl, daß es hier nicht mehr um die Fische ging, sondern daß ich auf dieser verlorenen Insel den Gesang des Menschen hörte — *zugleich* sein laut sich brüstendes und sein flüsterndes, flehendes Lied.

Bitte beachten Sie
die folgenden Seiten:

# Paul Tillich

# Wesen und Wandel des Glaubens

Ullstein Buch 318

»Es gibt kaum ein Wort in der religiösen Sprache — weder in der theologischen noch in der populären —, das mehr Mißverständnissen, Verzerrungen und fragwürdigen Definitionen ausgesetzt ist als das Wort ›Glaube‹ . . . Wir müssen versuchen, das Wort neu zu interpretieren und die sinnentstellenden Nebenbedeutungen, die zum Teil jahrhundertealtes Erbe sind, auszuschalten. Es ist die Hoffnung des Verfassers, daß ihm wenigstens dies gelingen möge, auch wenn er sein eigentliches Ziel nicht erreichen sollte, nämlich einige Leser von der verborgenen Macht des Glaubens in ihnen selbst zu überzeugen . . .«
Aus dem Vorwort des Verfassers

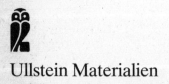

Ullstein Materialien

# Otto Friedrich Bollnow

# Wesen und Wandel der Tugenden

Ullstein Buch 209

In den Prägungen der Tugenden und ihrer Gegenspieler, der Laster, spricht sich am tiefsten aus, was eine Zeit am Menschen als groß und was sie als verächtlich empfindet. Der bekannte Tübinger Philosoph Bollnow versucht in der behutsamen Analyse der Tugenden — des Fleißes, der Bescheidenheit, der Besonnenheit und Gelassenheit, der Wahrhaftigkeit und Treue, der Gerechtigkeit u. a. — die verborgenen Grundlagen des sittlichen Lebens ans Licht zu heben und einen neuen Einblick in das unergründliche Wesen des Menschen zu finden.

Ullstein Materialien

# Daisetz Taitaro Suzuki

# Der westliche und der östliche Weg

Ullstein Buch 299

Daisetz Taitaro Suzuki, internationale Autorität auf dem Gebiet des Zen-Buddhismus, untersucht in diesem Buch die mystischen Erfahrungen des Abendlandes am Beispiel Meister Eckeharts und vergleicht sie mit den Aussagen östlicher Mystiker, wie sie vor allem von den Zen-Meistern und den Lehrern des Shin-Buddhismus aufgezeichnet werden. In tiefgreifender Interpretation mit einer Fülle von Zitaten weist er nach, daß sich östliche und westliche Mystik auf gemeinsamem Boden begegnen. Die künstliche Unterscheidung zwischen Zen- wie Shin-Buddhismus und christlichen Lehren ist von geringer Bedeutung gegenüber der Tatsache, daß alle die gleiche fundamentale Einsicht ausdrücken.

Ullstein Materialien